LÉON-PAUL FARGUE
par
CLAUDINE CHONEZ

POÈTES
d'aujourd'hui
19

LÉON-PAUL FARGUE

Une étude par Claudine CHONEZ
Inédit, œuvres choisies, bibliographie,
dessins, portraits, fac-similés.

EDITIONS PIERRE SEGHERS

J'ai joué ma vie sur la poésie.

U N poète mène toujours vie de poète. Mais non, la plupart du temps, sans quelque compromis apparent
— petit air de bourgeoisie, de raison, soucis ména-
gers, métier bien renté. Ou bien il se double de
quelque activité plus ou moins parente : mécanisme des
idées chez Valéry, action sociale chez Eluard.

Chez Fargue, aucune cloison entre l'œuvre et la vie quotidienne, rien d'autre que la fusion quotidienne de la vie
dans l'œuvre. Nul besoin « d'inspiration » à qui la poésie
est une constante, l'existence un vagabondage toujours à
la limite du rêve, au bord du poème. C'est le poète tout pur,
l'homme nu, l'homme pauvre de dons utiles. Existe-t-il bien
comme les autres, ce fantôme noctambule, plongé au fond
du sommeil dans les matins laborieux, risquant à la fraîche
un pied lourd et timide, nourri de caviar nocturne ou de
vin blanc à l'aurore, ce vieux célibataire orphelin, sans mé-

tier, sans liens, sans enfants, qui fait sa demeure des taxis et des hôtels et rentre fourbu d'avoir flairé la vie, comme d'autres d'avoir avancé leur carrière ?

Zéro. Les mains vides. Il n'a rien fait de sa vie, le divin inutile. La paralysie qui le frappe à la fin est comme un symbole de son inactivité foncière, de son manque de rendement. Rien ne reste que l'essentiel, son essentiel : le jeu des sensations dans un corps embourbé, et par là même singulièrement aux aguets ; le délire ordonné de l'âme qui s'affole et se règle, à l'assaut de l'univers.

Dans le monde actuel, ce type trop pur est à tout le moins un inadapté. Rimbaud, lui, se range tout à fait à part : ange, démon, martyr de certaines recherches pas encore au point, on ne le considère pas comme tout à fait humain. Il est la légende ; il se perd dans les sables d'Abyssinie ; personne n'ose vraiment le rejoindre. Mais Fargue à la poésie quotidienne, ce Fargue terriblement proche, que nous avons tous vu traîner à Saint-Germain-des-Prés, bouddha devant des offrandes de demis dorés, fumeur subtil et pesant, langue magique où le mot était joie et la pensée nostalgie — quel problème, quelle tentation, quelle envie, quel refus de le suivre il nous propose !

Car il est le contraire de « la poésie faite par tous », de la poésie enfantine et dionysiaque toujours à espérer ; de la poésie tragique et orientée à la joie, qui pourra venir un jour de ceux qui sauront vivre. Cher Fargue... Dernier représentant, et splendide, du poète trop amoureux tremblant de la vie pour la saisir à pleines mains ; essentiellement réceptif, en qui tout au monde se fait raison pour le vin du poème, qui ne vit qu'au second degré, et comme en reflet. Ce sont là les limites de Fargue. C'est aussi sa grandeur, la raison d'une très parfaite alchimie ; c'est aussi sa souffrance, ce qui nous le rend si fraternel. Encore un condamné que le verbe n'a pas guéri, mais enchanté, et qui nous enchante à son tour. Si la vie est toujours à pleurer, autant que les larmes soient de cristal.

Oui, Fargue, malgré ses joies certaines, malgré son attention aux plus fines pointes du plaisir, malgré ces « chahuts de fraîcheur » qui l'envahissent parfois, m'apparaît essentiellement comme le poète blessé. Pourquoi ? pour rien ; parce que tout est « pour rien ». Parce qu'il est seul ; parce qu'aucun garde-fou n'est solide. Parce que les fleurs jaunissent, et que les femmes mentent. Parce que tout change.

Ce n'est pas, à proprement parler, métaphysique. Fargue admet Dieu comme une idée consolatrice mais ne s'en nourrit guère ; encore moins le prend-il à parti. Le « monde de l'absurde » le gêne moins comme une négation philosophique que comme une impression quotidienne — mal dégagée d'ailleurs de son cortège d'imprévu, de charmes, et de plaisantes cocasseries. On se sent à vau-l'eau, mais il est doux, parfois, d'être à vau-l'eau.

La source des blessures est aussi celle des joies. Fargue, couché dans le courant magnétique qui va de tout à tout, traversé par les lignes de force de l'univers, vibre avec délices. Les mots se groupent comme la limaille, bondissent dans la joie d'avoir trouvé leur *sens,* leur ordre. On est maître du verbe, on se croit maître du monde, le temps d'inventer quelques êtres nouveaux et de s'en éblouir, le temps de jongler avec les vieux mots et les tout neufs, hilares de naître, le temps de croire au point secret de l'espace et de la durée où toutes choses s'harmonisent et jouissent l'une par l'autre.

Seulement le cœur trop sensible et trop faible ne suit qu'un moment. C'est une mèche sans cesse portée à l'incandescence, mais qu'un coup de vent éteint, et qui charbonne. « Toute sa vie a été l'entrelacement d'un chagrin secret et d'une apparente joie de vivre », dit un poème inédit. On sait bien qui est ce « il ».

Je suis un fantôme occidental actif.

CHAGRIN secret. Chagrin plein de pudeur, qui se confiait au papier, à tant de pages humides de larmes, plus encore qu'aux amis intimes, et qui n'apparaissait que furtivement dans la « figure » que Fargue a laissée de lui à ceux qui l'ont connu.

Ce vieil enfant si faible était un lutteur qui ne se rendait qu'à l'aube, et à la solitude. Il avait pour arme une immense joie (la seule) : créer, inventer et ordonner. Il avait les antidotes secrétés par le poison même de la sensibilité : les visions aiguës et vastes, lucides, voire caustiques, soutenues par la culture ; les rapports imprévus brusquement établis, qui sont une aiguille de plaisir ; les mots qui font l'amour et vous emplissent de leur chaleur ; les délires solennels ou cocasses. Et il avait aussi le simple plaisir de posséder un palais bien constitué pour goûter camemberts et vin frais ; ou, avant la maladie, un pied qui tient ferme de Montmartre

13

au Jockey ; ou encore un esprit complaisant à la conversation des jolies femmes comme aux douceurs de l'amitié.

Non, Fargue n'avait pas l'air triste, à qui ne prenait pas garde à sa paupière lourde, au pli de sa bouche. Son masque de César débonnaire souriait. Jusqu'aux derniers temps de la maladie, il donnait l'impression de la robustesse, de l'extrême vitalité. On sentait le vieux taureau entravé toujours prêt à foncer dans la bêtise, la laideur ; à bouter dehors, à coups de mots irrésistiblement drôles, l'antipoète s'attaquant au potasson. Puis sa voix un peu rauque, chaude et grasse — cette voix que la Comtesse de Noailles entendit il y a quelque vingt-cinq ans, « bouleversée d'amour », dire *Le Bateau-Ivre*, — changeait soudain et s'animait de douceur pour parler de quelqu'un qu'il aimait, d'un beau livre, d'un souvenir précieux.

Fargue pouvait, assis devant une pile de soucoupes à la brasserie Lipp, gauche et puissant, son éternel mégot aux lèvres, l'air faussement endormi, laisser couler le temps... Mais la lueur dorée de la poésie filtrait entre ses cils attentifs à ce que ne regardent pas le commun des hommes. Brusquement crépitait comme une mitrailleuse quelque éblouissant monologue où le César romantique rejoignait Gavroche ou Trimalcion ; un tissu d'images où l'humour rejoignait le vertige, la féerie, la création du monde. Son visage tout charnel et tout modelé d'âme ne bougeait guère, non plus que ses belles mains, grasses et soignées. C'était la voix, cette voix mariant des mots inconnus, définissant des univers imprévisibles et parfaitement *vrais,* qui tenait sous le charme. La nuit s'avançait. Fargue secouait sa lourdeur feutrée, agile. Un dernier taxi l'attendait, aux étoiles, pour le vagabondage d'avant rêve.

14

Etre mystérieux et complexe s'il en fut. La vie lui semble succulente. Il veut être partout, goûter tout, submerger de sensations « son âme de routier sentimental qui veut tout absorber en une déglutition sublime » (*Haute solitude*). Mais quelques lignes plus loin, ce cri : « Mon cœur hurle d'être seul au milieu de la solitude ». Il a des affinités avec un million de très petits objets. Des liens forts et ténus sont tissés entre lui et les plus délicates toiles d'araignées de choses. C'est dans sa tête une procession démesurée d'êtres et de souvenirs : « J'ai douze mille sens, des quais d'idées, des colonies de sentiments, une mémoire de trois millions d'hectares. » (*Haute-solitude.*) Mais au bout du compte, « tout est pour rien ».

Comme il advient souvent des individus remarquables, il est plein de contradictions, mais ces contradictions sont cimentées par une très forte personnalité : c'est un gamin plein du goût des plaisirs et de nonchalance irresponsable, mais capable des plus vifs, des plus obstinés remords. C'est un enfant qui a tout lu, sans perdre sa fraîcheur. Il se moque de tout, mais nul n'est plus obstiné. Il n'a ni calcul, ni ambition, mais d'enfantines vanités. Il est égoïste et fidèle ami, sauvage et sociable, sage et puéril, sceptique et enthousiaste. C'est un aristocrate et un artisan, un vagabond ami du confort mais non embourgeoisé, et qui a le droit d'écrire avec mépris ; « J'appelle bourgeois quiconque renonce à soi-même, au combat et à l'amour pour sa sécurité. » (*Suite familière.*)

15

Tous les enfants sentent vivement, mais je crois bien que j'ai été plus loin, plus profond qu'aucun autre, moi que le seul passage d'une pensée à une autre faisait rougir...

C E poète qui devait tant goûter les honnêtes plaisirs de la table est né au milieu « de jambons, de galantines et de mille mottes de beurre tombées d'une proche planète par grêles jaunes ». C'est aux Halles que Léon-Paul Fargue vit le jour le 4 mars 1876, rue Coquillère, dans l'immeuble même du célèbre Batandier.

Son père — ce père qu'on voudrait pour soi, doux et barbu, inventeur d'un porte-plume réservoir, l'œil irisé aux vitraux de son poétique métier — s'était fait céramiste à sa sortie de l'Ecole Centrale. Dans son atelier on fabriquait des plaques emaillées, un vitrail de maison gothique par-ci par-là, des coupes translucides et, aux heures de loisir, quelque objet de concours Lépine. « Si mon père avait eu un peu plus d'esprit pratique, disait Fargue, il serait allé loin comme inventeur. » Ce fut au fils d'aller loin comme inventeur.

De sa mère, on sait peu de chose, sinon qu'elle était d'origine paysanne (de ce Berri qui revient souvent dans les poèmes de Fargue) ; bonne et fine ; et qu'elle se dévoua jusqu'à sa quatre-vingt-quatorzième année pour son génial enfant, pour celui qui l'appelait tendrement « sa petite Marie ».

Une stupide famille bourgeoise catholique ayant interdit à l'ingénieur Fargue d'épouser l'humble Marie, il n'osa transgresser la loi jusqu'à la mort de la grand-mère, où la situation put enfin se régulariser. Léon-Paul avait près de trente ans. Toute son enfance, toute sa jeunesse ont été vécues sous le signe de ce secret dont il ne parlait jamais, même à ses amis intimes, et qui pesa sans doute sur sa vie entière. Il disait seulement, raconte le peintre Cheriane : « J'ai eu une enfance terrible... Un grand mystère planait sur elle... »

Il semble que l'enfant et le jeune homme hypersensibles aient souffert de façon atroce et disproportionnée de sa honte sociale, de quelques humiliations sans doute. Cela explique son amour farouche et triste pour « ses chéris » ; et l'extrême mélancolie qui plane sur les souvenirs de ses premières années. Léon-Paul et ses parents c'est le trio des proscrits repliés sur eux-mêmes, dans une tendresse et un malheur communs. Bien des traits du caractère de Fargue, son cri d'éternel enfant perdu, son inadaptation sociale, sa bohème agressive, son appétit de minuscules honneurs ; bien des rimes de ses poèmes, l'angoisse, la nostalgie d'un passé pourtant mélancolique, la peur incessante devant on ne sait quelle menace du monde, quelle imméritée punition de vivre, viennent sans doute de la sensation enfantine d'être rejeté du clan, hors du large nid familial, de sa dignité et de sa sécurité.

Cette enfance n'en fut pas moins heureuse à tout prendre. Léon-Paul avait les parents les plus tendres, et son extrême sensibilité connaissait plus d'émerveillements que de chagrins : « L'enfant que j'étais, plein de rêves bizarres, de bouquins de voyages et d'histoire naturelle, démangé de chimères, voué aux mystères et aux attrapes... » Dans sa maturité il compare avec nostalgie, comme tout le monde, l'âge d'homme aux premières années. « Tout mon paradis d'enfant, je le trouvais complètement rasé et sans voix. » (*Haute Solitude.*) Mis d'abord en nourrice à Montrouge, Fargue revint vivre chez ses parents, rue du Colisée, dans une maison second Empire dont le propriétaire était « une vieille dame en soie noire et en jais, qui lui donnait des oranges pourries ». (*Banalité.*) Il y avait aussi un grand porche à colonnes dont les piliers intérieurs incandescents lui faisaient penser « qu'il y avait là un animal profond, mystérieux, ou l'entrée d'une grotte de trésors ». (*Banalité.*) Sa mère cousait et chantait ; et lui : « était poussé doucement par l'envie de pleurer ». Il y avait encore les Champs-Elysées voisins, où l'on jouait à cache-cache autour des Folies Marigny, dans les massifs de verdure, non loin du *Café des Gaufres* aux gâteaux tièdes et dorés. C'est là qu'un jour Léon-Paul bavarde timidement avec une petite fille qu'on lui dit être sa cousine et que l'on emmène brusquement ; « C'était ma tante qui arrivait, il ne fallait pas qu'elle me vît. Histoires de famille, pauvres histoires... » (*Banalité.*)

Après le cours enfantin de « Mademoiselle Georges », le petit Léon-Paul est élève de l'Institution de jeunes gens de

18

la rue Montaigne, où s'éveille la conscience de sa singularité, « Je me sentais timide et fin, déjà réfléchi, d'une finesse assommante et qui me donnait moins de plaisir que de peine. » (*Banalité.*) Plus tard, à Janson, il a Faguet comme professeur et, à Condorcet, Mallarmé. Enfin le voici en khagne à Henri IV où Bergson enseigne la philosophie, où Jarry, Charles Louis-Philippe et Thibaudet sont ses condisciples.

Devant ses brillants succès scolaires, les parents rêvaient de l'Ecole Normale. Fargue leur causa sa première déception en n'y entrant point — en n'entrant nulle part, en se mettant délibérément à ne rien faire. Il aimait écrire, jouer du piano ; il avait peint son premier tableau à quatorze ans. Dès ce jeune âge il fréquentait la Galerie Le Pelletier où il se lia avec le futur peintre et décorateur Francis Jourdain ; les deux enfants admiraient ensemble Bonnard, Vuillard, Launay. « Il était déjà, dit Francis Jourdain, brillant, éblouissant. Sa conversation pétillait d'images, de mille trouvailles. Admirablement doué, il jouait très bien du piano (son grand succès était la *Danse Macabre*) et avait déjà fait un excellent portrait de paysan berrichon. Au début il s'était donné comme étudiant. Mais il était beaucoup trop fantaisiste pour aborder les études sérieuses. »

Les grands raseurs travaillent dans l'in-folio.

Rue de Rome, Léon-Paul assiste aux derniers « Mardis » du Maître Mallarmé. C'est là qu'il connaît, entre tant d'autres, Viélé-Griffin, Marcel Schwob, et surtout Valéry. Il est mordu, pincé par la poésie ; incapable d'aimer autre chose, de faire autre chose. A dix-sept ans Fargue a déjà tout cédé à son jeune génie.

Il commence à prendre des habitudes de noctambule. On le voit sortir du lit à trois heures après-midi, et manger à l'aube un souper froid amoureusement préparé par sa mère, tout en griffonnant ses premiers poèmes. Ces poèmes qu'il cache au fond des tiroirs, derrière l'argenterie, et qui sont déjà toute son activité, toute sa vie.

L'ingénieur Fargue se désolait. « Il n'y aurait que la trique », disait-il, bien incapable d'en user. Il coupait les vivres ou desserrait les cordons, au hasard de son cœur de père inquiet de l'avenir du petit. Le jeune Fargue allait au café parler poésie et, la bourse vide, refusait de consommer « à cause de son estomac ». La poésie avait toujours le dernier mot. Et pour que le coiffeur de la maison ne dise pas, en le voyant passer : « C'est ce garnement qui ne veut rien faire », il arborait fièrement, jusqu'au coin de la rue, les palmes académiques.

Vint le temps du service militaire. Pour couper aux trois ans qu'il fallait faire alors, Fargue se fit inscrire comme « ouvrier d'art spécialisé », comme ouvrier verrier. Mais qui fut jamais plus insouciant devant un examen ? Au jour dit le jeune Léon-Paul arriva avec un grand carton, des planches, du papier, et fut incapable de tracer une ombre du « projet » demandé : « Bon pour le service ».

En 1894, Fargue avait déjà publié ses premiers poèmes, et quelques articles sur la peinture, à côté des *Minutes de Sable mémorial* de Jarry, dans la revue *l'Art Littéraire*, où les rédacteurs cotisaient... En 1895 avait paru dans la revue *Pan* la première œuvre de Fargue : *Tancrède*, ce petit roman lyrique, cet étrange récit-poème qui semble joindre le symbolisme au surréalisme encore à naître. On y trouve (mais assourdi ou renouvelé par un tempérament plein de fantaisie et d'originalité) l'attirail du symbolisme : les thèmes du bonheur absent, de la beauté mystérieuse sous la forme d'une petite prostituée, de la femme élue que les hommes suivent vers « tout ce qui est beau sur la terre ». Les vers sont courts et légers comme du Verlaine ; la prose est une musique brève, construite sans logique apparente, parfois sans verbe.

On reconnaît déjà en *Tancrède* bien des traits qui seront constants dans sa poésie : un amour ou une tendresse de rêve, voilés parfois d'ironie ; un vocabulaire raffiné, riche et rare ; des images originales, laissant un écho inentendu, un « frisson nouveau » ; enfin un rythme soutenu et bien huilé, une harmonie fluide sans mièvrerie qui semble participer de la musique aussi directement que de la littérature, et mêle avec aisance le poème en prose au vers libre.

Tancrède, les poèmes parus en 98 sous le titre *Les Pays,* dans le *Mercure de France* (au retour du service où Fargue a été pour son capitaine un secrétaire parfait) ont eu du succès auprès de l' « élite ». Fargue se lie avec Rachilde ; les aînés, Henri de Régnier, Jules Renard, l'apprécient. Un petit cercle d'admirateurs s'est formé autour du jeune poète, qui n'en profite nullement pour pousser sa production... Quelques vers dans *la Plume* en 1902, et c'est tout ce qu'on peut signaler jusqu'à la première édition en librairie, *les Nocturnes,* poèmes parus à Nancy en 1905.

Fargue écrit beaucoup peut-être, mais il déchire presque autant. Il est impossible d'obtenir de lui communication d'un manuscrit, qui n'est jamais définitif. Il corrige, rature sans cesse, maniaque jusqu'aux virgules. L'édition de 1905 (financée par le père Fargue et l'ami Pierre Haour) ne fut qu'à demi achevée. L'imprimeur rendit les dernières épreuves : Fargue l'avait rendu fou à force de corriger, remanier, depuis six grands mois. Son souci presque maladif de la perfection le fit hésiter longtemps à mettre en tête de la plaquette : « Cet ouvrage n'est pas *ne varietur* » ou « Cet ouvrage est *varietur* ». Combien de fois une revue, ayant eu la faiblesse de livrer à Fargue les épreuves de ses textes, ne les vit jamais revenir ! Valéry Larbaud, en 1911, dut chiper le manuscrit de *Tancrède* pour en assurer enfin l'édition.

Entre 1895 et 1910, Fargue est assidument montmartrois. Avec Jean de Tinan, Francis Jourdain, Saint-Georges de Bouhélier, il fréquente le *Chat Noir*, ou le café de la *Nouvelle Athènes*, place Blanche, où se retrouvent les peintres de la Butte. Parfois Jean de Tinan, auteur charmant aujourd'hui oublié, et qui servit de nègre à Willy, écrit sur une table de café, sous la dictée du poète.

Léon-Paul le velléitaire, l'indécis, refusait toujours de publier. Et pourtant il voulait la Gloire. Il décidait de se fixer enfin, d'accepter une situation, et n'allait pas au rendez-vous. Il parlait beaucoup de femmes, et devenait singulièrement timide, jusqu'à prendre la fuite, quand la bande organisait quelque soirée un peu audacieuse. Les histoires qu'il racontait faisaient rire aux larmes les enfants de Francis Jourdain, jeune père de famille ; mais il n'avait nul souci de les recueillir en écrit.

Jourdain l'obligea, un été normand, à travailler dans la « Villa Lucie », un pavillon de la propriété Gallimard (le jeune Gaston ne savait pas encore qu'il serait un jour le patron de la N.R.F., et ne fit que plus tard la connaissance de Fargue). Il en sortit un début de roman, seul essai de Fargue en ce genre, malheureusement égaré. Fargue contait, paraît-il, de façon charmante les amourettes de la jeune bande, décrivait Montmartre en poète... Le roman ne fut pas achevé.

Dans ses opinions (sauf poétiques), même incertitude, même incapacité de choisir. Cette génération n'avait pas le sens politique. Pourtant vers 1900, alors que Jourdain était rédacteur au *Libertaire*, on vit Fargue aux réunions du Lundi. Il donna même un article fort joliment écrit, pas du tout dans le ton du journal, bien qu'il y fût question de « forces sociales » et de « propagande pour la paix ». L'article ne parut jamais parce que Fargue, ayant enlevé les épreuves au marbre, ne les rendit pas. On crut qu'il s'était dégonflé : il avait seulement trouvé telle phrase mal rythmée, et deux adjectifs impropres...

« Personne ne l'a vraiment connu », dit Francis Jourdain. Et Georges Auric : « C'était un homme bien étrange ».

Vers vingt ans, Fargue suit ses parents qui vont s'installer faubourg Saint-Martin, dans cette vieille maison si souvent chantée par le poète, qui a appartenu à Madame de Pompadour, derrière laquelle brille le canal Saint-Martin, tandis que l'atelier éclate d'émaux et de verres transparents. Mais il la quitte tous les soirs pour déambuler, marcheur infatigable, de la rive gauche à Montmartre et de Clichy à Vincennes, au gré des fantaisies et de l'amitié, de café en café, raccompagnant toujours l'avant-dernier de la bande.

Vers 1902 il rencontre Maurice Ravel chez Paul Sordes, peintre épris de musique. On passe des soirées délicieuses où chacun lit, joue, récite sa dernière œuvre. Les habitués sont Florent Schmitt, le pianiste Ricardo Vinès, Emile Vuillermoz, Tristan Klingsor. La bande se transporte quelque temps plus tard chez Maurice Delage, qui a fait de son petit hôtel « arrangé à l'ancienne comme une coiffeuse », un temple de la musique. « Les apaches d'Auteuil », ainsi se sont-ils joyeusement dénommés, se lient avec Stravinski, avec Eric Satie.

Voici le début des ballets russes. Fargue et ses amis admirent et soutiennent Diaghilev : au théâtre du Châtelet où il donne sa fête des sons, des couleurs et des corps, la loge 17 leur est réservée.

Le jeune poète fut l'un des tout premiers à goûter, à faire connaître Cézanne et les impressionnistes, qu'il dé-

24

couvrait chez Durand-Ruel aux environs de 1900. Aux Indépendants il admirait un art plus récent encore, Gauguin, Van Gogh, Bonnard, Vuillard, Sérusier... Beaucoup plus tard, c'est vers des maîtres tels que Braque et Picasso que le porta une instinctive amitié.

Un peu avant la guerre, chez ses amis Godebski (apparentés à Thadée Natanson qui dirigeait alors la célèbre *Revue Blanche*), Fargue rencontre Paul Valéry, Valéry Larbaud, André Gide ou Pierre Louys, à côté de Stravinski, de Florent Schmitt, Vinès, Satie, et surtout Ravel, qu'il admirait avec ferveur (plus tard il lui consacra un livre). Quant à Debussy... Fargue et ses amis se vantaient de n'avoir pas manqué une seule des « trente premières » de *Pelléas et Mélisande*.

De la peinture et de la musique, ses deux amours après la littérature, il est difficile de dire ce que Fargue préférait. La seconde toutefois est plus proche de la poésie ; et le langage de Fargue, fluide, délicatement cadencé, d'une exigeante harmonie, tend parfois à la musique pure.

Fargue n'est-il pas celui qui a écrit : « Certaines grandeurs et valeurs, je ne saurais te les exprimer que par la musique » ?

Le titre du recueil de jeunesse le plus important avec les *Poèmes, Pour la Musique*, qui parut en 1911 à la N.R.F., indique assez les goûts profonds du poète. La phrase, plus brève que dans les éloquents *Poèmes*, est essentiellement chantée ; et les vers de quatre ou huit pieds appellent la mélodie. Les thèmes enfin, simples et élégiaques (où l'influence de Jammes est parfois très nette), conviennent au poème musical.

Fargue désirait beaucoup tenter les compositeurs avec

Pour la Musique. Cependant c'est seulement à la fin de la guerre de 14-18 qu'Eric Satie mit, le premier, un poème de Fargue en musique. Il choisit la « Statue de Bronze » dans les *Ludions* que venait de publier la revue surréaliste *Littérature.* Fargue mit un certain temps à pardonner au musicien d'avoir supprimé trois mots...

Longtemps après, en 1923, Satie écrivit de nouvelles mélodies sur cinq autres poèmes de *Ludions :* « Air du poète », « Chanson du rat », « Spleen », « La grenouille américaine », et « La chanson du chat ». Ravel, en 1927, offrit en hommage à Fargue dans le numéro des *Feuilles Libres* qui lui fut consacré, une mélodie composée sur « Rêves ». Florent Schmitt enfin et Georges Auric choisirent dans *Tancrède,* l'un « La petite princesse », l'autre, en 1940, « Matin », « O misère de trop aimer » et l' « Enfant ».

1906 et les années qui suivent sont heureuses pour Fargue. *La Nouvelle Revue Française* est en gestation, puis naît et se développe grâce à l'activité de Gaston Gallimard, dans les humbles locaux de la rue Madame. Avec Ch. Louis-Philippe, Marguerite Audoux, Yell, le poète et magistrat poitevin, Fargue loue une petite maison à Carnetin près de Lagny. On y amène, en fin de semaine, les amis et les petites amies ; on y parle littérature, art et poésie, on y mange des omelettes aux girolles. Fargue publie toujours à très petites doses : rien de neuf à signaler en sept ans, entre les *Nocturnes* et les premières éditions de la N.R.F., en 1911 et 12 (les *Poèmes,* et *Pour la Musique*), rien sinon quelques textes parus à Bruges en 1907 dans la revue *Antée.*

En 1909, la mort du père lui porte un coup terrible. Les remords de l'enfant égoïste mais sensible, oublieux et plein de tendresse, sont exactement déchirants. Voici étendu là, inaccessible désormais, cet homme qui l'a tant aimé et pour qui il a fait si peu de sacrifices. Ce père qu'il a fait souffrir, qu'il a déçu par sa vie d'apparent bon à rien, de bohème impénitent, sans jamais lasser sa patience et son dévouement. Maintenant il n'est plus temps pour aimer, pour réparer...

Ce fut, au dire de Francis Jourdain, « un véritable désespoir ». Ce fut aussi la naissance de poèmes qui sont peut-être les plus beaux que Fargue ait conçus. Les pages qu'il consacre à son père (et il n'est désormais presque pas de recueil où le fils ne l'évoque) sont trempées des larmes les plus vraies et les plus déchirantes, ordonnées par le choix des mots et des rythmes les plus rares. *Aeternæ memoriæ patris*, c'est le titre de la première page des *Poèmes*. Et le premier : *Depuis il y a toujours*, est le plus poignant que le poète ait jamais écrit.

Avec les *Poèmes*, Fargue atteint la maturité, une maîtrise et un souffle bien supérieurs à ceux de *Pour la Musique* (dont les poèmes sont presque tous de quinze années antérieurs à la publication). La phrase allonge son cours et son rythme, atteint au grand lyrisme. L'ironie, l'esprit, cèdent à la gravité, à l'émotion, à cet amour de la vie et à cette nostalgie de vivre qui ne le quitteront plus. Tout Fargue est là, et souvent le meilleur : attentif et halluciné, courtisant la ville qui, dès le crépuscule, verse d'étranges ivresses : « J'aime chercher dans vos faubourgs ces yeux de l'Inconnu qui me sont familiers » ; poursuivant un amour, un vide, un souvenir, un gouffre, un symbole, un regret, « comme un homme que sa peine empêche de dormir et qui se tourne tout ensommeillé pris entre la douleur et le rêve ».

Le poète n'est point encore, dans l'ensemble, à l'apogée

de son génie. Il arrive que l'expression soit un peu fumeuse, les adjectifs vagues ou trop nombreux, la mélancolie abusive. Je note au hasard, entre la page 72 et la page 74, les termes suivants : nocturne, rêve, sanglot, assoupissement, infini, sommeil, faiblesse, songe, blème, pluvieux, grève, spectre, désert, tremblant, attristé, traîner, vieux, pleurs, abandon, fièvre, trouble, tiède, étrange, blessé, obscur, déchirant... et j'en passe. N'est-ce point un trop « élégies dans un cimetière » ?

Mais parfois éclate une image rare, virile et bouleversante comme celle-ci : « ... Le phare qui tourne à pleins poings son verre de sang dans les étoiles ». Déjà nous attend le grand Fargue cosmique.

*Je ne suis pas partisan, je ne suis pas
milicien, à peine poète. Je ne suis qu'un
homme qui veille dans son phare.*

A la mort du père, Fargue a dû devenir, faute d'argent, le patron de l'entreprise. Il était, disent ses amis, naïvement fier de son rôle d'industriel, en même temps que peu enclin à consacrer aux affaires le meilleur de son activité. On vit toutefois pendant près de vingt ans le poète, se souvenant de sa vieille vocation de peintre, dessiner des coupes d'éclairage, choisir les couleurs des vernis craquelés. Son père lui avait jadis acheté un nécessaire d'aquarelliste, dans l'espoir de convertir son fils à un métier, fût-ce celui de paysagiste. Fargue avait gardé l'habitude d'acheter une boite d'aquarelle chaque fois qu'il partait en voyage. S'en servait-il ? Jamais, dit Cheriane.

Mais l'atelier, il fallait bien, pour vivre, essayer de le prendre au sérieux. C'était dur ; les modèles se démodaient ;

les fins de mois causaient de gros soucis, et l'on vit plus d'une fois l'huissier sonner à la porte de Mme Fargue et du poète-cigale. Le rôle principal du patron consistait à placer les modèles fabriqués. Fargue entassait vases et lampadaires dans un taxi, ne manquant pas, s'il avait affaire aux Galeries Lafayette ou à quelque client de choix, d'arborer au revers du veston une discrète Légion d'honneur : « Ça me pose », disait-il. Souvent il fallait attendre, pour régler le chauffeur, le paiement de la facture.

En septembre 1914, le soldat Fargue partit, après des adieux pathétiques à ses amis. Quelques jours à Laon, et le bel enthousiasme du début avait fondu dans la monotonie de la vie de caserne. Fargue écrivit à un docteur de ses relations, fut grâce à lui assez vite réformé, et passa d'ailleurs par gratitude envers le destin et gentillesse naturelle une partie de son temps à rendre le même service à ses amis.

Il n'y a, c'est certain, rien de commun entre deux poètes comme Fargue et Péguy. Fargue est l'individualiste pur, que les questions politiques ou patriotiques enthousiasment peu. Sa passion de la liberté et de l'indépendance est celle d'une génération élevée dans une certaine sécurité physique et morale, qui croit pouvoir se permettre de préférer une image poétique ou un mot d'esprit à une pensée engagée ; qui, au mieux, préfère l'anarchie à tout autre système social. Beaucoup plus tard, la guerre de 1939 et l'occupation donnèrent-t-elles à Fargue une autre vue de ce qu'est la patrie ? *Refuges* se termine par des pages presque solennelles (*dans les mains de la France*) ; et lui-même s'est accusé, non sans fierté, de chauvinisme. Mais son amour du pays, essentiellement basé sur la culture, sur l'attachement à la tradition héritée de Rabelais, de Villon ou de Racine, ne milite point.

Les nombreuses chroniques que ses besoins d'argent lui ont fait répandre dans la presse parisienne ont obligé Fargue à discuter des machines et de la vitesse, des sports ou de l'action, du cinéma ou de la standardisation. Il y fait un peu figure d'un *laudator temporis acti* qui serait spirituel et sans aigreur. Mais il n'est, pour autant, ni porté davantage à l'engagement ni moins désinvolte à l'égard de la Société. C'est dans *Méandres,* qui date de 1946, que l'on peut lire : « Sitôt que l'on veut m'enseigner la condition humaine, je flaire l'imposture... Je me consumerais dans mon tonneau plutôt que d'acheter un billet de vie sociale à mon prochain. »

Est-ce à dire qu'il se désintéresse des autres ? Nullement. « Je ressens », lit-on quelques pages plus loin, « le malheur humain dans une seule larme, et ce drame de tous, ce fardeau des âmes, cet horrible sort des foules massacrées, je l'emporte sur mon dos, je l'emporte dans ma tête... » Seulement ces « autres », ces « âmes » ce n'est que la somme des « prochains ». La sympathie de Léon-Paul Fargue est toute spirituelle et toute individuelle. Ce grand poète ne pense pas un instant à « changer le monde », sinon lorsqu'il rêve de quelque paradis oublié ou perdu, d'un « monde antérieur où fleurit la Beauté », presque aussi irréel que celui dont s'enchantaient, avec son maître Mallarmé, tous les symbolistes.

A la fin de la guerre 1914-1918, Fargue est sollicité par le jeune surréalisme. Il se lie avec Breton, Aragon, Soupault, donne plusieurs textes dans leur revue *Littérature*. Mais fidèle à son esprit d'indépendance, il refuse de s'embrigader dans un mouvement étroitement soumis à des consignes communes. Toute sa vie il restera l'admirateur d'André Breton, mais il s'éloigne très vite du groupe surréaliste. Sa langue personnelle est trop éprise de la culture classique pour tout céder au délire d'imagination ou à l'écriture automatique ; et sans doute les jeunes surréalistes doivent-ils à Fargue beaucoup plus qu'il ne doit à l'Ecole. Le poète eut parfois l'impression d'être pillé : « Ce sont de faux témoins », disait-il de certains d'entre eux, dont le caractère et les attitudes l'irritaient.

Il se tait d'ailleurs, la plupart du temps. Il continue à se taire jusqu'en 1924. En plus de dix années, on ne lui arrache que quelques poèmes (dans *Littérature*, mars 1919 ; *N.R.F.*, juin 1919 ; Les *Ecrits Nouveaux*, février 1922 ; et les *Ludions d'Intention*, en mars 1923) ; la Préface de Charles Blanchard, et écrite avec Valéry Larbaud, celle des poèmes d'Henry Levet (*N.R.F.*, 1913 ; *Maison des amis des Livres*, 1921) ; les hommages à Valéry Larbaud, Léon Werth et Marcel Proust (Les *Potassons*, dans *Intentions*, novembre 1922 ; *Kriegspiel*, dans les *Cahiers d'aujourd'hui*, novembre 1923 ; *N.R.F.*, janvier 1923) ; enfin *Deux portraits de Peintres* et *l'Ecole sortie d'une Table tournante*, textes assez minces parus dans *Intentions* (janvier 1923) et *les Feuilles libres* (juin 1924).

Mais 1924 voit la fondation, par la Princesse Bassiano, de la revue *Commerce*, dont Fargue accepte la direction avec son grand ami Valéry Larbaud et avec Paul Valéry, que six ou sept années plus tôt il a aidé vers la gloire en faisant chez Arthur Fontaine une conférence sur le poète encore presque inconnu de *La Jeune Parque*.

La revue *Commerce* est distribuée par Adrienne Monnier, qui dirige depuis plusieurs années déjà la *Maison des*

Amis des Livres, centre intellectuel de la rive gauche. Rue de l'Odéon, Fargue trouve une sorte de foyer. Il est l'enfant gâté ; tard dans la nuit parfois il dicte ses poèmes à Adrienne Monnier. Il rencontre quotidiennement les premiers parmi ses pairs : Valéry, André Gide et un grand seigneur étranger à demi aveugle, qui s'appelle James Joyce.

Et voici qu'éclot le Fargue poète majeur, l'imagier au rythme envoûtant, dont le verbe est splendeur et abandon, jaillissement original.

Déjà le texte des *Feuilles Libres* avait déclaré : « Assez des langues cartésiennes, des langues à césures... A nous les signes idéographiques, les écritures figuratives... Le besoin se fait sentir d'un clichage instantané des érections du subconscient, d'une langue sortie de la succulence intérieure... »

Cette langue sortie de la succulence intérieure, c'est celle des *Epaisseurs* à l'inspiration satirique et cosmique, à l'expression cruelle, tendre, éblouissante, qui paraissent dans *Commerce,* dès août 1924, c'est aussi celle de la plupart des textes qui se succèdent dans *Commerce* ou aux Editions de la N.R.F. avant de former, en 1928, les premiers volumes qui, depuis les *Poèmes* de 1912, fussent autres que des « plaquettes » : *Sous la Lampe* et surtout *Espaces.*

L'*Hommage à Léon-Paul Fargue,* numéro spécial des *Feuilles Libres* de juin 1927, consacre l'accès du poète à la gloire. On y trouve la signature de grands noms comme Ravel ou Valéry. Une lettre de Proust (de 1921) affirme « l'admirable talent » du poète. Et Rilke (en 1926) écrit à la princesse Bassiano : « Fargue est un de nos plus grands poètes ».

1932 le verra élu à l'Académie Mallarmé qui décerne un

prix annuel à la jeune poésie. (Mais peut-être a-t-il plus de plaisir à faire partie de l'Académie des contre-petteries du Poitou ?) Pour *D'après Paris,* paru la même année, il recevra le prix envié de *la Renaissance.*

Par la princesse Bassiano il est entré dans le grand monde ; aux déjeuners du dimanche en sa « Villa Romaine » de Versailles, on rencontre le Tout Paris. Fargue devient ami d'Anna de Noailles et d'Edmée de la Rochefoucauld, de Marthe de Fels et de Mme de Crussols. Jusqu'à la guerre de 1939 on le rencontre dans les salons de Mme Pomaret ou de Marie-Louise Bousquet.

Ah ! Ne venez pas me dire que l'homme soit autre chose qu'un vagabond, toujours riche d'une âme de vingt ans.

PEU à peu se forme la figure légendaire de Fargue : vieux garçon courtisé par les femmes les plus spirituelles de Paris ; vagabond qui cherche en vain à rattraper, de taxi en taxi, les heures délicieuses passées en flâneries; noctambule que l'on trouve encore en chemise à cinq heures du soir; poète enfin sans discipline mondaine (mais non peut-être sans coquetterie), qui met une sorte de point d'honneur à n'arriver que vers huit heures pour le thé et après le dessert pour un dîner ; qui, n'ignorant pas non plus qu'il est convié pour briller, met parfois sa cruauté à se taire, faussement ensommeillé, le nez dans son assiette, pour soudain retrouver son rôle de vedette, lancer quelque boutade géniale, quelque mot d'esprit étincelant, une tirade où la poésie éclabousse d'or l'auditoire.

Sa vraie vie, c'est celle qu'engendre la divine paresse, c'est le faux farniente du poète aux aguets de toute chose, de la moindre vibration, de la plus fine émotion : « Le travail est une chose élevée, digne, excellente et morale, mais assez fastidieuse à la longue. » En revanche : « La détente, c'est-à-dire la contemplation, je veux y voir notre état naturel. » (*La Lanterne Magique.*)

Fargue éprouve (compensation du célibat) une joie poétique extrême à disposer des minutes et des objets à son caprice. Il se réveille, s'il lui plaît, au milieu de l'après-midi, traîne en robe de chambre, et fait une toilette aux rites minutieux compliqués de superstitions (ne pas arracher un fil, ne pas coincer la cravate, remonter dans la chambre pour s'assurer qu'un bibelot ne risque pas de tomber etc...). Alors, sortant « avec toutes sortes de précautions, de regrets et de repentirs », le poète pose un pied prudent sur le trottoir, tâtant l'heure entre chien et loup.

Parfois il est prêt pour aller butiner Paris, pendant des kilomètres, avec des jambes et une joie de galopin. D'autres fois il a du mal à chasser une angoisse. En vain il s'est « accroché à la rampe des draps », il a bien fallu tenter de vivre. Il prend son taxi quotidien comme un refuge, ou traîne sa nostalgie à vif entre les rues tristes et les comptoirs de bistrots.

Bien souvent — tous les soirs à plusieurs périodes de sa vie — il se fait emmener dans un des bars qui sont pour lui un foyer brillant de lumières et de camaraderie. En 1922, Louis Moyses (que toute la bande des écrivains et artistes amis de Fargue connaissait, habitués qu'ils étaient de son bar de la rue Duphot, le *Goya*), Moyses donc fonde *Le Bœuf sur le Toit* qui devait devenir rapidement si célèbre. Fargue

Léon-Paul Fargue à 8 ans.

Ci-contre :
Léon-Paul Fargue à
Saint-Tropez en 1930.

Page suivante :
Léon-Paul Fargue
en 1907.

Léon-Paul Fargue
en 1913.

y retrouve tous les soirs Jean Cocteau, Georges Auric, Picasso, Ravel, ou même Marcel Proust; on y écoute Wiener et Doucet au piano. Un peu plus tard Moyses ouvre *Le Grand Ecart*. Fargue se transporte volontiers, dans la même soirée, des Champs-Elysées à Montmartre. Mais quel bar, quelle boîte à la mode n'a vu, entre les deux guerres, arriver le poète, entre deux taxis et deux alcools, la démarche placide et l'œil pétillant ?

Il aime fort aussi les bons traiteurs. Gourmand, fastueux, et un peu snob, il lui plaît de découvrir le fin restaurant, il se fait gloire d'avoir lancé le « Drouant » de la gare de l'Est (que ses amis appelaient le Drouant-Fargue), il aime tutoyer les garçons chez Lapérouse. Mais il peut aussi bien avaler un sandwich à onze heures du soir, et souper à quatre heures du matin avant de rentrer au petit jour.

Ses plus chers voyages tournent dans le cercle enchanté de Paris. La princesse de Polignac l'a emmené une fois sur son yacht dans une grande croisière en Méditerranée orientale. Il a été un peu en Allemagne, et puis à Anvers ou à Nice. C'est à peu près tout ; et il n'en a guère nourri sa poésie.

Quant à la nature, bien sûr il l'adore ; mais pas du tout comme son amie Colette, penchée sur un pistil, observatrice aussi pleine de science que d'amour : parce qu'il la recrée constamment selon son monde intérieur, il n'a pas grand besoin de la voir. La ville, la ville bruissante, lourde et magique, l'attire comme un aimant combien plus puissant. Déjà à Carnetin, il n'attendait pas toujours la fin du week-end pour regagner Paris. Et lorsque avec Yell il entreprit un voyage en Forêt Noire, tandis qu'à l'approche des cités, son ami passionné des grandes routes ralentissait

37

2

le pas, Fargue instinctivement pressait le sien. Plus il avançait en âge, moins il éprouvait le besoin de s'éloigner de
Paris. « On ne quittera donc jamais le macadam ! » soupirait sa femme Chériane.

Au vrai, Fargue n'avait pas besoin de *dépaysement*. Le
quotidien, toujours prêt à se charger d'émotion, pouvait devenir contrée magique. Ou bien le poète écoute la résonnance
de son âme ; ou bien il jouit des délices que l'on peut tirer
de n'importe quel objet, puisqu'elles résident en de secrètes
correspondances. A quoi bon connaître le Grand Canal de
Venise ? Il préfère le canal Saint-Martin ; plutôt, c'est exactement la même chose. S'il voyage au loin, c'est dans son
cœur si vulnérable : « Gare de la douleur, j'ai fait toutes
tes routes. » Ou bien c'est sur le tapis enchanté de l'ima-
ginaire.

Il a, pour instrument précieux et familier, le taxi pari-
sien. *Le* taxi de Fargue attaché à lui comme une carapace,
qu'il prenait parfois à quatre heures de l'après-midi pour ne
le quitter qu'à quatre heures du matin, demeure insépa-
rable de la légende vraie du poète. Dans les soirs de tristesse, c'est une petite maison roulante, un abri semblable
au ventre de la mère, contre le monde hostile et contre la
rôdeuse mortelle. Dans les soirs pleins de l'enivrement de
vivre et de contempler, c'est le wagon de l'aventure, trépi-
dant au hasard des rues chargées de mystère, bourrées de
signes ; c'est la maison du berger où l'on fait l'amour avec
la poésie de la ville, où s'animent au passage tous les tableaux humains, où l'on va d'un émerveillement à l'autre.

Fargue est également à son aise avec les patrons de bistrots et les mécènes, les cochers et les duchesses ; le conducteur du taxi, éberlué, dragué vers l'ivresse de voir une

38

voie lactée surgir au sein de l'oxygénée, un fantôme sous le trottoir, est souvent un plaisant compagnon. « Le rêve, dit Fargue à Beucler (1), ce serait de trouver un chauffeur plein de désirs vagues, un viril orphelin devenu célibataire, et qui voudrait crever le plafond. » Etrange désir, qui semble peindre un double du Fargue noctambule et poète errant...

A l'aube, Fargue est saoul de vagabondage plus que d'alcool : « J'ai bu le lait divin que versent les nuits blanches. » (*D'après Paris.*) L'étrange fièvre nocturne cède peu à peu à la fatigue. Pourtant le poète ne rentre pas encore, pas tout de suite, guetté par une vague angoisse, « il m'était physiquement impossible, raconte-t-il dans *Méandres,* de me coucher avant de me sentir au point violâtre des lassitudes ». C'est que le rêveur éveillé a peur des nuits blanches, de la faiblesse du corps allongé sans défense, des fantômes de la demi-insomnie : « Si tu pouvais savoir, toi qui me lis, tout l'art que j'apporte à différer le moment de monter là-haut dans ma géode d'hôtel, comme un pagure dans une coquille étrangère... » (*Haute Solitude.*)

« Paix sur la terre aux hommes de bonne incohérence ! » La vraie vie de Fargue, celle qui est indispensable à l'éclosion de la poésie, c'est cette parfaite liberté, cette bohème (qu'une mère très aimante sait rendre confortable). « Bien sûr, dit-il à Beucler, j'aurais dû prendre à temps la résolution de devenir un homme organisé. On ne se refait pas ! »

Tout cela ne l'a point empêché de désirer les honneurs du siècle, gourmand et enfantin comme un écolier qui, fai-

---

(1) André Beucler : *Dimanche avec Léon-Paul Fargue* (*Point du jour*).

sant ses classes entre les fleurs et les nids d'oiseaux, briguerait tout de même la croix d'honneur. Le poète ne l'avait-il pas souvent fabriquée, pour imposer les mondains et les parvenus, d'un bout de ficelle ou de calicot ? On finit par lui donner la Légion d'honneur. En 1947 on vint lui remettre, sur son lit d'infirme, le Grand Prix de la Ville de Paris, consécration définitive. Mais il s'est éteint pas tout à fait consolé d'avoir été si tard reconnu officiellement.

Quelques jours avant sa mort et déjà à demi tourné vers l'ombre, ne disait-il pas à une amie :

— Voyez-vous, je n'ai jamais eu de chance. Je n'ai pas fait ce qu'on appelle une carrière.

— Cher Fargue, vous avez dès amis innombrables, connus ou inconnus, on vous aime dans le monde entier... Vous ne vous voyez pas en uniforme d'académicien ?

— Non... enfin... Pas très bien. Et pourtant...

L'oiseau-lyre, l'oiseau moqueur, aurait pris volontiers l'habit vert perroquet.

Il n'ignorait tout de même pas être un vrai, un grand poète. *Banalité* — qui formera avec *Suite Familière* le recueil de *Sous la Lampe,* et les deux groupes d'*Epaisseurs et Vulturne,* qui composeront *Espaces,* ont eu, auprès du public, un plein succès.

Suite familière n'est qu'un assez mordant mélange d'éthique et d'art poétique, où la poésie se glisse sous l'impertinence, ou bien au hasard d'un portrait amical. On y voit le poète se faire les griffes. Mais *Banalité* s'ancre sur l'admirable poème *La Gare,* douloureux salut à la ville et à la solitude, peut-être la plus belle page lyrique de Fargue. Il se poursuit par l'appel calme et nostalogique au paradis de l'enfance, que traverse le cher fantôme du père, la silhouette de la mère. Le poète se détend, joue avec sa jeunesse dans une prose paisible, fine, tamisée, puis monte d'un coup au grand lyrisme final.

Epaisseurs, et surtout *Vulturne,* fait au merveilleux cosmique la plus grande part. Au-dessus des mesquines fourmilières humaines, le poète monte, monte dans les espaces imaginaires, monte et plane à grands coups d'images éclatantes ou émues, jusqu'à un Dieu immobile et indifférent, qui fait rejaillir la tendresse du désincarné pour la pauvre vieille Terre.

Avec *Ludions* (paru seulement en librairie en 1933, mais dont certaines poésies remontent à la douzième année), nous retournons au Fargue de la jeunesse, plus spirituel que mélancolique. Les poèmes sont en vers parfois rimés, de mètre extrêmement variable, d'inspiration légère et volontairement bizarre. La langue est imprévue, illogique, cocasse jusqu'au calembour. C'est, des œuvres de Fargue, le recueil le plus proche du surréalisme, du Père Ubu et de l'Ecole fantaisiste.

Enfin, *D'après Paris* et *le Piéton de Paris* consacrent Léon-Paul Fargue amoureux attitré de la Ville, chroniqueur inégalé de son passé et de son présent, poète par excellence du macadam.

Fargue commence à recevoir l'aide des mécènes ou de l'Etat ; un manuscrit de sa main peut lui rapporter une somme coquette, les commandes de chroniques pour hebdomadaires ou revues de luxe affluent. Il est temps ; car depuis qu'en 1928 le poète et sa mère, expulsés par les agrandissements de la Gare de l'Est, ont dû se replier sur la rue Château-Landon (dans une maison construite pour les expropriés de la Compagnie), adieu non seulement les balcons de fer forgé et les lampadaires, mais aussi le clair atelier sur le canal, l'atelier abandonné qui n'a pas été remonté ailleurs. Fargue laissa mourir une affaire qui ne l'amusait que par à-coups et qui, aussi bien, périclitait.

En 1935 meurt la mère du poète, âgée de 93 ans, comme si elle avait voulu « tenir » le plus tard possible pour ne point abandonner le grand enfant. C'est à nouveau un immense chagrin ; et aussi un nouveau déménagement. Fargue s'installe dans son cher Saint-Germain-des-Prés, à l'hôtel *Acropolis,* puis au Palace. Mais le destin semble veiller à ce qu'il demeure le poète errant ; l'hôtel est transformé ; on en expulse les pensionnaires comme naguère les locataires du faubourg Saint-Martin. Fargue reste jusqu'à la dernière minue, supplie ses amis de lui trouver « quelque chose », déménage *in extremis* dans un logis en plein ciel, rue Hippolyte Maindron, et le quitte au début de la guerre pour fixer enfin ses pas et son cœur à la pointe de Montparnasse, dans l'appartement du peintre Chériane qui deviendra sa femme.

Maintenant il fait deux parts dans sa vie ; les poèmes, qu'il note la nuit parfois ou qu'il dicte à Chériane, qu'il rature sans cesse, fait retaper trois fois par la dactylo (les trois poèmes inédits par exemple, qui seront joints en 1944 à la nouvelle édition : *Les Compagnons, la Porte, la Gare abandonnée,* ont été vingt fois corrigés...) ; et les chroniques, que les périodiques ou la Radiodiffusion demandent de plus en plus nombreuses, au fur et à mesure que croît sa célébrité.

Ecrire ces dernières lui coûte beaucoup. Grâce à un ami attaché à la présidence du Conseil, on lui a offert de rédiger pour l'étranger des articles de propagande culturelle. Mais il faudrait livrer un papier chaque samedi : impossible. Au début de la guerre où les taxis sont rares, le poète, pour être sûr de n'être pas en retard s'il a une émission à la radio le lendemain à midi, va coucher à l'hôtel du Palais d'Orsay, comme plus proche du studio d'enregistrement !

Fargue demeure celui qui méprise les « pisse-bouquins ». Il voudrait être parfaitement fidèle à sa plaisante devise : « Ne me sers que du café filtre ». Mais pressé par ses besoins d'argent, il ne le peut. Comment payer les taxis quotidiens et les fins repas, si l'on refuse les commandes d'articles, de causeries ? Des chroniques, Fargue en a fait beaucoup trop, spirituelles toujours, écrites d'une plume alerte et puriste, mais aux dépens, semble-t-il, de sa gloire la plus pure, des poèmes splendides qu'il aurait dû nous donner, qu'annonçaient les pages de garde de ses livres, et dont une petite part seulement vit le jour.

Refuges et *Déjeuners de soleil* qui paraissent en 1942, n'ont, si spirituelles et sensibles qu'elles soient, que la valeur de chroniques. Le poète y parle de tout et de rien, de Paris et de la lecture, de Ravel et des restrictions, de la Loterie Nationale ou des nuits aux carreaux bleus de l'occupation. C'est un pêle-mêle charmant, sans grand poids. Mais *Haute Solitude*, qui a paru l'année précédente, est, douze années après *Espaces*, une étoile presque aussi étincelante.

Voici de nouveau le poète de la plainte, des nuits blanches et des angoisses de l'aube, des géographies secrètes de la Ville ou du corps, des visitations préhistoriques, du coup de talon qui fait piquer en chandelle vers la musique des sphères. Le voici gonflé d'images, de tendresse, d'ironie douce-amère. *Haute-Solitude* est, avant le foudroiement, le dernier jaillissement de la poésie triomphante.

Une tragédie en plein corps.

A midi un jour d'avril 43, Léon-Paul Fargue s'attable avec des amis, dont Pablo Picasso, chez *le Catalan*, restaurateur bien connu des vieux habitants du « sixième ». Il veut du feu pour sa cigarette, se penche pour ramasser la boîte tombée sous la table... « Et pan ! l'heure du lustre qui tombe avec son orage amassé sou par sou avait sonné. » (*Méandres.*)

On relève le poète, un vaisseau rompu au cerveau, atteint d'une irrémédiable hémiplégie. Prométhée terrassé par une allumette.

Le voici accompli, le poème prémonitoire de *Banalité :*

« Gare de la douleur, j'ai fait toutes tes routes.
Je ne peux plus aller, je ne peux plus partir. »

Hors du corps pétrifié, c'est maintenant la lente remontée de l'esprit que le guet-apens du destin n'a pas laissé longtemps abasourdi, de l'esprit « intermédiaire affolé entre

44

l'inerte et la poésie ». Avec un mélange de curiosité intense et de désespoir, le poète fixe les rouages ravagés, essaye de tout voir et sentir, maintenant plus que jamais, avec ses os et son sang serrés dans l'étau intime, autant qu'avec l'imagination vagabonde. C'en est fait du mondain et du noctambule, des tics, des snobismes, des décors 1900, qui nous ont parfois masqué la profonde figure du poète.

Mais il trouve dans la maladie la source de rapports nouveaux et profonds entre les choses, d'images poétiques fraîches, une sorte de charme au sein même de l'amertume. « Inscrit dans son écorce » il n'en navigue pas moins, dans sa chambre-bateau à la proue de Montparnasse, sur le monde entier. La « douleur aux yeux de corbeau » le guette dans les insomnies, des bourdonnements, des ailes fiévreuses le frôlent, des insectes de verre craquent sous l'oreiller, un oiseau brûlant pose sur son cœur ; mais soudain des hymnes lui éclatent au cerveau, « une sorte de grande lumière le sauve », et les gestes doux, les sourires du passé.

Le goût de vivre persiste, la gaîté, l'espoir, traversé d'éclairs d'impatience ou de découragement : « Je n'ai rien accepté, rien refusé. Tant que la maladie sera là, avec son état-major et ses troupes d'occupation, je resterai d'affût. » (*Méandres*.) Fargue tente courageusement de radouber son corps, essaye tous les remèdes, avec la confiance des imaginatifs dans le miracle. Le miracle ne se produit pas. Il cède peu à peu, se résigne, renonce aux promenades béquillantes sur le trottoir de la rue de Sèvres ou aux stations à la terrasse du Café *François Coppée*, sans perdre toutefois sa vivacité, ni sa *vis comica*, son pouvoir de voir les choses sous l'angle le plus singulier, le plus drôle, souvent le plus profond.

On l'emmène encore (en ambulance, parfois) dans les quartiers qu'il chérit ; non pas le Bois ou la rue de la Paix, mais la Villette et la Chapelle. Les infirmiers l'aiment, bien qu'il ne soit pas toujours un malade commode : on boit le pernod ensemble à l'entrée des bistrots, et il sait si bien faire rire.

Fargue songe, sans trop y croire, à la mort : « J'ai entendu, dit-il à André Beucler, ces chuchotements aux tempes et ces froissements d'herbe de mes souvenirs qui ne sont perceptibles qu'à ceux dont le billet ne vaut plus rien. » Mais on porte ce paquet de chair à l'air frais ; on l'offre au soleil, au néon, au bruit des voitures, aux passants ; et l'esprit lové s'y redresse, plus triomphant que jamais.

La main droite n'est pas atteinte. Le lit devient un écritoire. Les *Portraits de Famille,* hommage rendu par la tendresse au souvenir, aux grands amis vivants ou disparus, succèdent aux chroniques de la *Lanterne magique,* à plusieurs recueils d'articles ou de présentations, à l'Almanach plaisamment zodiacal de *Une saison en Astrologie.* Un an avant la mort est publié *Méandres,* où les réflexions, les rêveries, surtout les fines, cruelles, émouvantes analyses de la maladie, retrouvent parfois la haute poésie du plus grand Fargue.

Chaque dimanche Fargue recevait ses innombrables amis, dans son lit aux draps de parade bleu-ciel, mais sur les épaules un vieux châle favori. Et son masque, que Valéry comparaît jadis à celui du jeune Néron, qui maintenant ressemblait à celui d'un Napoléon retiré dans quelque Sainte-Hélène de la solitude poétique, son masque s'éclairait d'une grande jovialité apparente.

Il y avait là un jour ou l'autre, Waroquier, Florent

Schmitt, Mondor, la belle-fille de Valéry, quelque amoureux de poésie : Follain, Audiberti, Renéville, un ou deux étrangers ; une fois un colonel que Fargue écouta l'appeler « Maître » avec une douce ironie.

On attendait dans la salle à manger. Chériane, avec ses boucles noires, son visage rond et ferme, ses yeux de louve en velours, ouvrait soudain la porte à deux battants. On s'asseyait sur un fauteuil, un tabouret, ou familièrement sur le lit couvert d'articles ébauchés, de livres apportés par les amis, de journaux grands ouverts. Et l'on commençait à bavarder, Fargue menant le jeu avec une lucidité intacte encore affinée par la douleur, avec sa malice aiguë et rarement méchante, ses éclairs de tendresse, ses images cocasses et fulgurantes. Sa conversation était gentille, familière, commentait un des bouquins étalés, livrant beaucoup de souvenirs, un peu de cœur. Terriblement obscène parfois, d'une obscénité franche, directe, avec de brusques diamants rouges : communication violente avec les objets, fouille audacieuse du charnel, et aussi sourde révolte, protestation...

Il aimait ce brouhaha autour de son lit, il l'aimait, mais cela le fatiguait. Parfois, c'était une tabagie ; il fallait ouvrir la fenêtre ; c'est ainsi qu'il prit, un dimanche, la bronchite qui devait l'emporter. En sorte que sa mort a été avancée à cause de l'amitié.

Une fois encore, quelques jours avant sa fin, je regardais ce torse lourd, déformé, puissant comme le Balzac de Rodin ; et ces jambes escamotées, repliées comme celles d'un bouddha, mauvaises servantes presque invisibles sous les draps. « Le rhume ne veut pas s'en aller », dit-il. Il était plus pâle, plus affaissé. Content toutefois ; sa vieille amie Colette était venue dîner. « Elle est un peu plus brillante que moi, pas beaucoup : une arthrite de la hanche. L'ascenseur ne commence qu'à l'entresol ; alors on l'a hissée avec le monte-charge. » On songeait comme à des chênes jumeaux aux deux poètes vigoureux, abattus par la vieillesse. Pas si abattus que cela : « Quels gueuletons nous avons fait ensemble dans notre vie ! Nous pouvons échanger des souvenirs pendant des heures. » Une lueur brillante passait sous les yeux plissés sur quoi la maladie avait rabattu de lourdes paupières comme pour tourner son regard vers les sources intérieures.

« Je suis un vieux bouc terrassé », dit-il solennellement. La chambre anodine, avec ses abats-jour et ses draps bleus, mais aussi ses secrets de strychnine, de courants ionisés, de morphine et d'homopavine, ses pilules magiques, ses flacons transparents dont l'un portait : « élixir de mer », devenait une salle d'oracles, Cumes en plein Paris, avec ses alentours de cavernes et de hauts-lieux : le mont Parnasse, Babylone, une Croix-Rouge sang... « Je m'en vais en pleine poésie », dit-il encore de la même voix solennelle.

Et Fargue, comme il faisait souvent, se mit à remonter vers ses souvenirs d'enfance, la vieille maison, l'atelier du père, les vitraux chatoyants qu'il fondit pendant quelque temps. « Ma mémoire est devenue fantastique. Ça défile, ça défile. Je me souviens du prénom de gens que j'ai vus une fois il y a cinquante ans »... « Maintenant je ne suis plus qu'un ver de terre, un employé des pompes funèbres. Mais j'ai appris à bien connaître la géographie de mon corps. »

Il parlait la tête inclinée sur l'épaule, comme un crucifié.

« Il y a pire que la maladie : pas de chance intérieure.

48

Les choses ont commencé à me blesser très tôt. Je n'ai jamais pu m'adapter à l'existence... »

Trois jours après il n'était plus. S'est-il offert, s'est-il battu, débattu ? A la volonté, au calembour, au poème, à la morphine ? La mort tenait le bon bout.

Toi aussi, tu aimais la vie que tu recraches.

F ARGUE n'échappe pas, bien sûr, à la loi qui veut qu'une œuvre évolue, au cours de toute une vie. Mais les constantes sont chez lui singulièrement affirmées.

A partir des *Poèmes* (1912), sa personnalité est fixée. Les suivants retrouveront toujours, et ne surpasseront pas, cette douleur musicale qui les imprègne, où l'homme n'est pas seulement orphelin du père, mais du passé tout entier et du bonheur impossible. Seulement les thèmes et la forme s'élargiront, gagneront en puissance et en éclat. Ce qui était tendresse et féerie intime devient dans *Espaces* lyrisme et merveilleux cosmique, durci parfois bien au delà du pauvre monde des hommes ; en même temps la fluide harmonie cède à la couleur, à l'épanouissement des images. On pourrait dire que cet amoureux des deux arts, sans jamais renoncer à la musique, y ajoute les richesses de la peinture, passant avec une parfaite maîtrise de la sensation musicale à la vision hallucinatoire...

Parallèlement, la langue s'affirme, le vocabulaire s'enrichit, le dessin se resserre. Par exemple le « comme » de la métaphore classique tend à disparaître ; les rapports deviennent des chocs, des assimilations directes (« Saturne faisait des ronds de cigarette », « la Chine retroussait sa jupe de pagodes » etc... au lieu de : « les maisons s'avancent *comme* des proues de galères où tous les sabords s'éclairent... L'homme file entre leurs flancs lourds *comme* une épave dans un port. »)

Le poème en prose mêlé aux vers dès l'origine, dès *Tancrède,* s'y substitue de plus en plus souvent. C'est qu'il convient mieux aux cheminements de l'émotion, à ses monologues intérieurs, à l'enchevêtrement des descriptions imaginaires. Mais jusqu'à *Espaces,* — et Fargue a tout de même cinquante ans — le poème en vers libres, rapides, fluides sous un rythme puissant, précède ou suit le corps même du récit fantastique ou du songe intérieur — comme un signal, comme un condensé d'émotion, comme un rite liminaire, ou comme un testament, un adieu.

Ainsi que tout poète, Fargue a ses mots-clefs, révélateurs de la sensibilité profonde, obsessions du désir ou du regret. Ce sont les mêmes d'un bout à l'autre de l'œuvre : le mot « tendresse » le mot « orphelin », le mot « solitude ». La couleur bleue (et singulièrement bleu-nuit) l'imprègne (les choux bleus, l'allée bleue, les cendres bleues). Il aime les voix sans visages, et les visages sous des lampes pâles, ou derrière les croisées « d'où l'on tourne l'épaule à la vie », comme disait Mallarmé. Une notation comme : « mes années *rouges* de regrets et d'erreurs » (*Refuges*) est assez rare.

Aima-t-il la vie ? On a dit que oui parce qu'il a, comme tout poète, si fortement saisi et si profondément goûté le miracle à l'infini de ce qui *est*. La jouissance hélas ! n'est pas tout à fait le bonheur. Si Fargue s'enchante d'un cocher pittoresque, d'un village où les toits jouent à saute-mouton ou d'un bon vin de France, cette même sensibilité qui fait de chaque journée un baptême perpétuel, une *reconnaissance*, porte aussi sa blessure toujours ravivée par l'imperméabilité des êtres, l'inadaptation au domaine de l'utilitaire, le je ne sais quoi qui fait qu'on crève lentement d'être homme, cœur bien avant corps.

Tout poète porte en lui ce double mouvement vers la joie spontanée de goûter, et vers la blessure d'être. S'il a une foi (Eluard, Claudel), c'est vers la joie qu'il peut, qu'il doit basculer. Sinon... Sinon, il lutte par toute sa robustesse sensuelle, par tout ce qui en lui est *l'enfant*, c'est-à-dire, la joyeuse familiarité avec les choses, et l'émerveillement.

Et comme il n'est plus tout à fait un enfant, et qu'il est un moderne — monde particulièrement mal huilé, roues du destin grinçantes — il se défend par l'esprit, par l'ironie, par l'humour.

Peu de poètes ont su, autant que Fargue, chanter êtres et choses avec une gravité tremblante de tendresse, en même temps que les décrire et surtout en parler avec une fulgurante cocasserie. Seul Laforgue peut-être... Tel vieux bouquiniste (qui pourrait aussi bien lui inspirer demain une rêverie nocturne sur les quais) n'est pour l'instant, à la fantaisie du poète, qu'un chauve quinquagénaire « qui n'a plus de chapelure sur le jambonneau », et débite les œuvres complètes de « Pissenlit, Lordure, Visseversat ou Passé-Muscade ». A la mélancolie de *Tancrède* succède dans le même volume, l'impertinence des *Ludions,* où le poète « dédicrasse » des « merdrigals », ou chante l'autobus « Batiplantes — Jardin des gnolles », la gnolle étant la femelle du « gnou », lui-même cousin de l'unicorne. Avec lui le zest piquant, acide (s'il est amer, c'est en secret), n'est jamais très loin du miel. Métaphores burlesques, concetti, calembours, bouffonneries, lyrique cocasserie, peuvent surgir brusquement au coin du poème ou (plus sûrement encore), de la conversation.

Et certes, il y a à la base de sa drôlerie un pur et enfantin besoin d'invention, de jeu, coexistant avec l'extraordinaire culture verbale qui l'a doté d'un vocabulaire foisonnant d'étrangetés. Quand les images et les mots défilent plus vite que ne ferait une bobine de film, et bien plus librement, il se produit des heurts et des confusions, des réversions, des accouplements imprévus, de burlesques anagrammes. Mais aussi l'humour verbal est, si l'on peut dire, grave, en ce qu'il indique l'indocilité des choses à la raison abstraite, leur fuite devant les catégories logiques, aussi bien que leurs mariages secrets, leurs rebroussements et leurs affinités, leurs infinies correspondances.

Et enfin il y a là une réaction de défense. Rarement méchant avec les vivants, Fargue s'exerce parfois au sarcasme envers les morts, que rien ne saurait empêcher de dormir en paix. Ni Vigny, ni d'Annunzio ne se réveilleront pour s'être entendu traiter, le premier de « barre de nouilles en acier peint », l'autre de « sorcier du musée Tussaud » (*Suite Familière*). Et tout de suite — simultanément — éclate la poésie, avec « Lamartine, fantôme de redingote aux pellicules d'étoiles ».) La conversation de Fargue est pince-sans-rire, volontiers épigrammatique ; elle abonde en saillies, en réparties, en définitions d'un éblouissant comique : un cœur trop vulnérable secrète ici ses antitoxines. L'ironie du poète est toujours prête à cingler la tendresse trop confiante ; son humour maintient les distances avec un monde infiniment attirant, mais non moins inquiétant et suspect.

Mais le pittoresque et le comique sont, pour un lyrique invétéré, une fragile défense. A chaque tournant de page, ils se déchirent, et revient à nu, à vif, la sensibilité avec ses paysages symboliques — les mêmes objets, les mêmes lieux.

Pour Fargue, ces lieux privilégiés, ou plutôt obsessifs, sont tous ceux où l'homme, hors du foyer, semble vulnérable comme un pagure sans coquille, perdu dans la masse anonyme et dans sa solitude : la rue par exemple, simplement la rue populeuse, en fièvre, où vit une humanité courbée sur ses jours monotones ; ou bien l'avenue longue et grise qui se perd dans le ciel ; ou les canaux et les ponts, à cause de cette eau qui se traîne, comme sans but, et pourtant va se perdre quelque part comme l'homme en son destin (« comme la vie est lente », soupirait déjà un autre poète devant le pont Mirabeau) ; ou enfin les gares, qui veulent dire séparation, lourd sommeil de l'attente, départ vers l'inconnu — les gares et les trains avec l'appel des locomotives dans l'ombre, le rythme monotone des roues qui mesurent le temps, les arrêts en pleine campagne « parmi les meules de silence ».

Le temps correspondant à ces états d'âme, c'est bien entendu la nuit, au moins le crépuscule. « L'homme interdit par la nuit — bluté par une peur vague » y rencontre d'étranges fantômes, ectoplasmes des désirs et des souffrances humaines, qui font une navette silencieuse entre la vie et la mort.

Paris, et singulièrement le Paris nocturne, rassemble au plus haut degré ces émotions éparses. Si l'on songe que Paris est aussi la cité de la culture la plus délicate, où peuvent s'épanouir les sensations les plus fines, enfin le pays natal du poète, on ne s'étonnera pas que la moitié de son œuvre lui soit consacrée.

Tantôt l'esprit classique et raffiné de Fargue se réjouit d'y marcher « environné de peintres, de labeur, de songes, de spiritualité » (*Méandres*). Le tapis roulant de la rue est l'image même de la vie ; et le panorama de la ville a été formé par des siècles de patience, de labeur et de finesse : « J'aimais des quartiers comme on aime des maîtresses. » Et les poèmes chantent les quais de l'Ile Saint-Louis ou les quartiers d'Auteuil, la flânerie divine, le plaisir d'être roi du temps et de survoler des siècles glorieux ; les chroniques célèbrent Saint-Germain-des-Prés avec sa fumée de cervelles et de pipes, ou les vieux autobus, « pachydermes débonnaires », ou la Tour Eiffel que le poète a vu naître et flamboyer environ l'Exposition, « les pieds écartés sur un bûcher trop petit pour elle, pissant debout devant Loie Fuller et les fontaines lumineuses ». (*D'après Paris*.)

Mais bien plus souvent ce qui l'attire, c'est le Paris du peuple et même de la misère, de la détresse secrète et quotidienne. S'il « s'enfonce au cœur de la rue, comme un ouvrier dans une tranchée » (*Poèmes*), c'est pour y ramener une moisson de mélancolie plus qu'à demi romantique, pour y saisir mieux qu'ailleurs combien les êtres sont dévorés par la vie. Il rôde autour des gares, des trains de ceinture, des canaux, des faubourgs. Il regarde les tramways frissonner au-dessus des flaques, les toits bourdonner de rêves irréalisables, les bistrots donner l'oubli du vin. Même l'orgue du manège d'enfants, qui n'a que trois airs, est triste ; même le départ pour la banlieue, un dimanche matin, tandis que la solitaire qui demeure secoue son torchon à la fenêtre comme l'adieu suprême du mouchoir, et qu'on relève d'une taloche le gosse qui trébuche.

Le soir avec ses demi-teintes colore tout le réel de pressentiments, de drames secrets, d'angoisses et de fantômes. Les vitrines noires, les vieilles maisons dont les portes s'ouvrent vers des couloirs obscurs ou se ferment avec colère et dont les escaliers ne mènent à aucune joie, le gaz tremblotant des réverbères, la flamme des quinquets d'hôtels, tout cela est le symbole de la vie qui invite à l'amour et le trahit, l'image des songes et de leurs déceptions, la figure d'une vague et universelle angoisse. Avec Fargue, les rôdeurs noyés dans l'océan de pierre, vivants ou fantômes, passent et repassent, heurtés aux brisants des murs, se hissant vers les hublots du bar lumineux ou du bistrot tiède, hâvres de quelques heures.

Plus doux, et le seul sûr puisqu'il est immuable, est le hâvre du passé, des tendresses fixées par le souvenir.

Bien qu'affectant parfois l'ironie ou la misanthropie (« les hommes... il les bénit de gifles »), Fargue, on ne saurait s'y tromper, est nourri du lait de la tendresse humaine. « Il n'a pas de forteresse... son âme ne peut pas garder la chambre. » (*Poèmes*.) Il s'est toujours senti « un cœur d'auberge pour ceux qui marchaient avec lui sur le même chemin de halage ». (*Lanterne Magique*.) Mais les émotions collectives ne sont pas le fait de cet individualiste. Il a besoin de vibrer cœur à cœur ; et là, les déceptions et les blessures sont plus sûres que les joies.

Fargue n'a jamais beaucoup parlé de ses amours, de ses

liaisons ; sa pudeur en ce domaine s'étendait même à ses plus vieux amis. Il semble qu'elles aient apporté à sa jeunesse et à son âge mûr plus de désillusions que de bonheurs durables. Par sa faute peut-être. En amitié aussi il est exigeant, susceptible. « J'ai vu mentir les bouches que j'aimais, j'ai vu se fermer, pareils à des ponts-levis, les cœurs où logeait ma confiance... » (*Haute Solitude*.) Mais sous l'apparence du caprice, de l'égoïsme même, ses plus vieux compagnons connaissent sa vulnérabilité et sa fidélité. Les vrais « potassons » savent que son affection ne ment pas, n'oublie pas, ne périt pas.

Le temps et la mort la renforcent au contraire. Près de dix années après la mort de la mère, un quart de siècle après celle du père, il consacre à « ses chéris » trois des plus beaux *Poèmes* (inédits avant l'édition de 1944). Le chagrin n'a pas séché en lui ; mais le souvenir l'a pacifié, sublimé. Ses parents, ses amis perdus sont pour lui des intercesseurs familiers, aussi présents que jadis : « Ceux que j'ai aimés, ceux que j'ai perdus », affirment les pages consacrées dans *D'après Paris* à une amie disparue « ... ne remontent pas des mines de la mort. Non, je pense à eux, je pense à Raymonde, comme à quelqu'un qu'on peut voir le lendemain, le jour même. »

Des voix mystérieuses hèlent sans cesse le poète, appels de l'inconnu mais aussi et d'abord échos du souvenir. Il guette, il attend, mais il attend pour ainsi dire en arrière, tourné vers les fantômes de la vie antérieure, plus chargés de signes que les figures de l'avenir. Car le futur est lourd d'espoirs menteurs, le présent de déceptions et de scories ; mais le passé réconcilié, recueilli, livre un message essentiel.

« Mon corps est une horloge en bois qui a mis toutes ses

heures de côté pour ses vieux jours. » (*Méandres.*) Le passé, quand les désirs et les regrets ne le défigurent plus, est la pente douce qui relie l'existence au paradis enfantin et adolescent : « Je me roulais dans la vie avec des chaleurs de tête, avec des bonheurs d'épaule dont le souvenir me fait aujourd'hui monter des larmes. » (*Haute Solitude.*) A qui fut trop exigeant ou trop faible pour ne pas trouver au bout du compte un solde passif, le souvenir des jeunes années est un enchantement doux-amer. Et plus encore s'il s'agit d'un homme qui, comme tous les poètes, est demeuré enfant, incurablement, inadapté au « réel ».

Fargue a beau « entrer en mémoire » pour revenir aux jeunes années et aux affections perdues, il a beau cultiver aussi les amitiés vivantes, rien ne peut faire qu'il ne soit entamé par l'existence et n'ait appris d'elle son unique leçon : la solitude. « Ce qu'on aime finit toujours par se décider à vous quitter. On est seul. On est toujours seul. » (*Poèmes.*) En vain on s'entoure de chers fantômes, vient un réveil de l'aube ou de la vie où les fantômes s'évanouissent, vous laissant au bord d'un vide et d'un silence plus parfaits qu'auparavant. « Le monde me quitte comme le sang de celui qui s'ouvre les veines. » Tout a manqué, tout est manqué : l'amour et l'amitié, l'enfance et les enfants ; les promesses, les remords, les rendez-vous, les désirs. Derrière les îlots de fraîcheur, le chahut des camarades, les galopades de bistrots en boîtes de nuit, les objets pittoresques et le plaisir des dîners en ville, veille toujours, ironique ou près du sanglot, Fargue le grand détaché, Fargue le grand triste, l'homme qui avoue avec une amère simplicité : « Je ne suis pas heureux. »

> *Les fantômes de grand fond rampent*
> *à flocons sournois sur les mystères fami-*
> *liers.*

ET vivre, n'est-ce pas rêver d'un rêve ? conclut, dans *D'après Paris*, Fargue qui s'éveille « heureux de ren-gager pour la terreur de vivre ». C'est-à-dire que le poète n'est, volontairement, jamais *tout à fait* éveillé. Certes le rêve ne vaut que ce que valent les sensa-tions aiguës et foisonnantes, mais c'est lui qui compte. En sa vie désaxée Fargue mêle les deux, dormeur en plein jour, noctambule jusqu'à l'aube, travailleur à la clarté des lampes, et dans la tiédeur d'un lit prêt à voguer sur l'autre face du monde.

Si le poème part souvent des objets les plus quotidiens, c'est que l'inconnu se propage mieux à partir du connu ; pour être dépaysé il faut sortir du pays natal. Mais il s'agit toujours d'aboutir aux frontières étrangères, d'être désorienté, parfois jusqu'à perdre cœur. Toute chose doit être transfigurée, inventée ou réinventée. Ainsi des faunes et flores du poète. « Je ne vois plus que baillouses crochues, chouettes fouilloulouques, dodues, misoglyphes et draûles... » (*Haute Solitude.*) Et encore : « Ce sont des bêtes qui passent, le Jivoth couleur de mimosa, friand de genoux et d'encoignures, le sanglier-charrue qui force sur ma retraite dans un piami de tiares, les passoudroux... le diplôme jaseur, le pangolin... » (*Méandres.*) Il n'a nul besoin de les connaître en réalité, pas plus que Rimbaud écrivant le *Bateau ivre* n'avait besoin d'avoir vu la mer.

Vis-à-vis des êtres ou des choses qui, vrais ou imaginaires, sont *l'Autre*, Fargue se situe entre un poète comme Michaux qui les craint et tend à les haïr, et un poète comme Supervielle qui leur offre un amour confiant. La tendresse chez lui se mêle à l'angoisse, à une sorte de méfiance. Les choses ne sont pas méchantes mais elles souffrent, et peuvent réagir comme tout organisme meurtri : « Le vent tape par terre comme la tête d'un blessé traîné par un cheval. » (*Poèmes.*) Les portes se ferment avec colère parfois, les murs vous repoussent, l'ombre est maléfique :

> « Dans une maison qu'on ignore,
> Le soir monte aux bras du danger,
> Et s'arrête sur un palier
> Devant une porte marquée. »

> (*Pour la Musique.*)

Le merveilleux si consolateur n'est pas magie tout à fait blanche. Et la drôlerie même de l'invention verbale (si extraordinairement pittoresque chez Fargue) est terrible et périlleuse, car elle a pouvoir de créer et détruire des mondes.

L'humain sera-t-il un réconfort, quand vient l'angoisse ? Certes non ; car si cette angoisse a ses délices, le cœur trop sensible ne sait, lui, que souffrir. C'est la mélodie verbale et ses illusions que le poète appelle au secours : « Bourre-toi d'images sonores. Musique, maintenant que le moral flanche, tu ne vas pas me lâcher ? » Et il s'éloigne des hommes. « Si vous m'aviez suivi, si vous aviez parlé moins fort, nous aurions ralenti, moi qui vous aimais tant... Votre plainte n'est plus pour moi. Trop tard... » (*Epaisseurs.*)

On est encore sur terre, mais il suffira d'un rien pour que les pieds décollent. Voici le bord de la sphère, l'appel de l'air, des nuages, des *Espaces*. Et bientôt, loin de ce « grouillis de poux de mer sur la plage des rues », le poète « ascensionnel » contemple l'humanité avec un mépris qui tente de venger le cœur : « Ah ! vous n'alliez pas loin, les hommes... Vois-tu de là-haut comme çà rampe ? » (*Vulturne.*)

Mais avant d'atteindre au vertige cosmique où s'abolit même la crainte, il faut passer par les frayeurs d'une solitude peuplée de fantômes, de prémonitions, de pas étouffés dans les cendres de la mémoire. Cela commence par exemple, dans *D'après Paris*, par l'étrange maladie du « sondedam » qui eût réjoui Michaux, car il s'agit « de se repasser poliment la Mort », de détacher de soi, en souplesse, l'invisible et mortel ressort pour l'accrocher au voisin. « Des glaciers de peur et de folie, m'ont poussé tous les jours », déclare plus cruellement encore *Haute Solitude*. Et aussi : « Quand mon corps me revient, halant des escaliers d'efforts, je ne lui trouve qu'une saveur de noyé qui coule à pic. »

Plus haut que l'univers grotesque et terrible d'*Epaisseurs,* plus loin que la colère et la peur, le poète d'*Espaces* accède enfin à cette vision où se rejoignent l'être et le néant, où la matière n'apparaît plus que « l'esprit qui s'est induré », où l'Esprit « rapetisse le monde, pendant un temps incalculable... supprime un moment le temps, l'espace et la matière ». Les hommes, affairés comme des fourmis, ne s'aperçoivent jamais de rien, parce que tout le système bouge en même temps. Seul le poète, à cause de ses lenteurs, de ses « intuitions interminables », atteint aux visions éblouissantes, apocalyptiques : « Plusieurs printemps bondissaient en même temps, et l'on voyait des pêchers roses par millions qui galopaient sur un sol frissonnant d'étoiles. Puis l'été surgissait, mêlé de lunes et de chevelures. Les anges fuyaient... » Seul il sait retrouver l'amour jusqu'au sein de l'horreur du monde croulant au néant : « Nous l'entendions qui glapissait par toutes les fissures de la catastrophe : Je t'aime, je t'aime... »

> *Que chaque mot qui tombe soit le fruit
> bien mûr de la succulence intérieure.*

Ainsi Léon-Paul Fargue rejoint-il l'éternel romantisme de Blake et de Novalis, de Victor Hugo et de Lautréamont. Mais si l'âme cède à l'ivresse, le langage non. Il tient son lyrisme en laisse, joue avec le délire surréaliste sans s'y laisser prendre, et construit ses divagations.

Aux sensations et aux sentiments les plus violents il applique le maximum de volonté dans l'expression : « J'écris pour mettre de l'ordre dans ma sensualité. » (*Suite familière.*) La jouissance qu'il éprouve à fouiller et à faire foisonner le verbe comme une chose vivante, autonome, ne doit point nous tromper : c'est un classique, qui met les mots en liberté surveillée. « J'ai tant rêvé, j'ai tant rêvé que je ne suis plus d'ici », assure-t-il. Mais aussitôt : « La poésie est le seul rêve où il ne faille pas rêver. »

Là où le surréalisme ne travaille qu'à gagner le fond de l'abîme, pour ramener une perle d'inconscient à la lumière du conscient, Fargue veut encore formuler, ordonner le mystère. « Une phrase parfaite est au point culminant de la plus grande expérience vitale. » (*Sous la lampe.*) Affirmation plus symboliste encore que classique, aussi mallarméenne que celle qui veut faire du poème « un rendu exquis et essentiel ».

Fargue a vite abandonné la préciosité héritée du symbolisme. (« Fleur triphasée, erreur, lueurs vespasiennes, et les femmes, et ces givres aspasiennes », lit-on dans *Ludions.*) Reste la virtuosité d'un artiste très conscient des possibilités inexplorées du langage, et qui fait au hasard ou à la mystification une part beaucoup moins grande qu'Apollinaire, par exemple. Si sa poésie intime est intense et directe et ne veut que serrer le cœur, les tableaux, descriptions lyriques et visions qui la doublent sans cesse, font appel à toutes les sources et provignements du langage, à l'infini registre des cadences et des sons, dans une sorte d'ivresse dirigée, très personnelle à Fargue. Le classique qui est en lui note : « Le bon écrivain est celui qui enterre un mot chaque jour. » Mais ce mot éculé, le poète saoul de verbe le remplace par un autre, brillant encore de sa fraîcheur originelle, ou forgé tout de neuf.

Cela va des contre-petteries de la conversation (« tous les billanches tu joues au dimard ? » demande-t-il à Beucler) jusqu'à la splendeur des inventions cocasses et apocalyptiques qui font grouiller dans *Haute Solitude* « les Ziblocousses, les cacotermes, les pentajouriches et les Botonglouzes » ; jusqu'aux fantaisies de *Méandres* où l'homme de la rue apparaît comme un étrange animal : « nadadon des carrefours, lézardier, flemmidor, mufleton, déménageur à la ficelle, gâcheur de temps, bajaf, chevalier de la gripette, bon public, anguille de cohue, fantabosse, badouillard... » et j'en passe.

En lui les mot fourmillent ; il faut qu'ils sortent, qu'ils s'échappent en cohue, se succèdant plus vite que le souffle, grimpant l'un sur l'autre, cocasses, énormes, gonflés d'allusions fabuleuses, trop bizarres parfois, parfois juste au point génial où le baroque, le classique et le lyrique s'exaltent l'un et l'autre. Parfois Fargue fait appel aux vocabulaires techniques les plus rares (philosophie, médecine, sciences naturelles ou physiques), transformant chaque mot abstrait ou ardu en une sorte de hérisson vivant et frémissant, dont s'anime toute la phrase. Parfois au contraire, il invente un mot d'une simplicité et d'une grâce absolues : « Une fenêtre mal camouflée luisernait joliment. » Toujours il organise une phrase qui est une friandise pour l'oreille, dont les consonnes et voyelles se frottent musicalement à l'ouïe ; ou qu'on sent musclée, roulée dans la bouche, poussée par la langue au moment d'être exprimée. Il tire le maximum du langage français, creusant la souche selon le fil, d'une gouge experte et souple.

Personne ne songe à dénier à Léon-Paul Fargue le titre de pur poète, bien que presque toute son œuvre soit écrite en ce que M. Jourdain ne peut que considérer comme de la prose. C'est que la poésie moderne a admis l'opinion mallarméenne qu' « en vérité il n'y a pas de prose ; il y a un alphabet, et puis des vers plus ou moins serrés, plus ou moins diffus ». Le mot poème s'impose dès que le rythme, le son et l'image prennent le pas sur le sens raisonnable ;

car le poète se définit par l'acte démiurgique de rendre aux mots leur autonomie, leur pouvoir créateur.

L'harmonieuse langue de Fargue, oscillant de l'andante à l'allegro, correspond exactement à celle que souhaitait Baudelaire : « musicale sans rythme et sans rime, assez souple et assez heurtée pour s'adapter aux mouvements lyriques de l'âme, aux ondulations de la rêverie, aux soubresauts de la conscience ». La strophe a plus de solennité, quelque chose de rituel, de théâtral presque, mais cette prose délicatement articulée, secrètement rythmée, et allitérée, contraint moins la rapidité des sensations et moins le rêve.

Au plus léger battement changeant de son cœur, le poète peut élargir ou précipiter la cadence, développer librement l'image. Ainsi sa phrase que ne gêne aucun moule, apparaît-elle comme un être organisé : avec des os, du mou, des nerfs, une odeur *sui generis*. Et l'assemblage délicat, les caresses et brisures du son et des cadences, provoquent comme le vers l'état de réceptivité poétique, cette attente exaltée du mot qui va tomber avec son poids de révélation.

> *« Je voudrais à mon tour dire quelques*
> *mots de ce qui se passe entre notre âme*
> *et les choses.*

Léon-Paul Fargue, ne participe pas aux recherches extrêmes et parfois incommunicables de Mallarmé, de Rimbaud ou des surréalistes. S'il sait, bien sûr, qu'il y a quelque chose d'indicible dans l'expérience poétique, il n'en veut pas moins la transmettre. Aussi n'utilise-t-il le plus souvent, au moins au départ, que la part toute quotidienne et toute familière de son immense vocabulaire.

Mais alors il s'agit de *charmer l'usuel*, de le charger de signes, et d'une tension anormale. Rien n'est plus inquiétant, constant pressentiment de l' « autre chose » qui est l'objet de la poésie, que le timbre insolite des mots de tous les jours assemblés par un vrai poète. Il nous avertit ainsi que l'inexplicable nous enserre jusque dans l'air familier, que rien n'échappe au mystère, car le monde invisible et l'invisible ont la même clef.

Les petits tableaux *réalistes* de Fargue ne le sont pas, pas plus que les clairs-obscurs d'un petit maître hollandais où le rayon trace un *signe* sur la géométrie des pavés d'une cuisine, pas plus que dans tel croquis nocturne et insolite d'Aloysius Bertrand. « La ruelle est si mal pavée que tout le monde a l'air d'y boiter... Le dos d'une vieille tourne au bout d'un passage. Un chat débouche — et c'est deux pastilles de lune. » (*Poèmes.*)

Innombrables sont les images faites des notations les plus familières et pourtant chargées de révélations : « Le petit jour se déchire dans un bruit de draps » ; « Comme dans une opale le jour et la nuit luttent avec douceur » ; Le poète porte son cœur trop lourd « comme un écolier qui court avec un pain plus grand que lui ».

Fargue a des secrets, il n'a pas de trucs. Sa nasse ramène d'eaux invisibles des poissons phosphorescents, aux écailles d'arcs-en-ciel, mais bien vifs, odorants, bons à manger. Au contraire de la poésie surréaliste, souvent perdue dans l'image tout intérieur, gratuite, la sienne se rafraîchit au contact permanent et naïf de la nature.

Pour Fargue comme pour tout poète, l'image est l'opération la plus importante, la plus sacrée, puisqu'elle consiste à *appeler* d'abord chaque objet, puis à le fondre avec un autre, selon la loi d'attraction et d'analogie. Enchaînement sans fin où tout ce qui existe s'échange et s'identifie : « Un piano pense avec lenteur » ; le regard d'une femme à sa fenêtre est « sage et lourd comme du raisin noir » ; ou bien le poète, dans un éclair admirable, au delà des lieux et des formes, voit : « les chambres errantes, enchaînées, traînées

Léon-Paul Fargue, Yehl, Valéry Larbaud, le maire de Fronton.

Léon-Paul Fargue en famille (1913).

Léon-Paul Fargue, Le Prince de Bassiano, Paul Valéry.

Page suivante : Léon-Paul Fargue (Peinture de Charles Camoin 1929).

par leurs cheveux trempés le long des clôtures du temps, le long du bâillement des jours ». (*Vulturne*.)

Les choses se heurtent avec un éclat métallique où se pénètrent avec fluidité ; ou, tumultueuses, s'exaltent au silence des pleurs. Mais il faut toujours, pour favoriser le hasard des contacts, commencer par rendre au concret toute la richesse dont l'avait privé l'avarice de « la réalité » utilitaire. La vraie réalité n'est jamais trop touffue ; au poète de susciter la prolifération et ramification à l'infini du réseau tissé autour de nous par le monde sensible.

Ainsi l'invention peut-elle, doit-elle s'en donner à cœur joie, s'épanouir en libres combinaisons, faire jubiler le langage. Cette floraison spontanée, ce premier jet de poème, c'était la conversation même de Fargue, éclaboussant d'or la terne perception usuelle, avant de se décanter dans un poème fidèle à son jaillissement.

L'énumération et l'analogie l'ont entraîné parfois à un excès de richesse. Ainsi, dans *La Gare* Paris était assimilé successivement, en une dizaine de vers, à une ruche, à un port noir de remorqueurs, à un torpilleur, à une écluse et à une mélancolique école du soir. Ce cancer d'images est la rançon dangereuse de trop de richesse ; mais habituellement Fargue en est préservé par le sens de l'art et l'authenticité de l'inspiration.

Portées par l'ouragan verbal et soutenues par les images, ou directes et tremblantes confessions du cœur, ses plus belles pages font de chaque mot un signal d'amour, un fanal de l'invisible.

Dans *Méandres,* il se compare à ces noirs d'Afrique qui se couchent sur le sol pour faire corps avec ses courants magnétiques et ainsi entrer en contact avec des tribus lointaines. Ainsi l'oreille collée au silence, ou dans la musique de l'autre côté du sommeil, communique-t-il avec les temps, les choses, les êtres disparus, avec les espèces incréées, avec « les sentinelles de l'inouï ».

Cela commence souvent par une sorte de malaise, de nervosité sans raison apparente. Le poète est travaillé par son propre pouvoir magique. Dans une rue de Paris, dans une chambre, l'espace d'une seconde quelque chose à bougé derrière l'écran, un regard a lui sous le masque. Il vient un souffle qui n'est plus celui de l'air. Tout est identique et tout a changé. Le pavé, le papier du mur ou la silhouette d'un passant deviennent merveilleusement étrangers, et merveilleusement intimes.

La révélation n'est pas seulement dans le sens clair ou caché du message, mais d'abord, et plus mystérieusement, dans sa forme, dans l'embrassement de sons, la correspondance des accents, les échos prolongés, bref, dans ce chant dont celui des sirènes n'est que le mythe. Fargue, comme tout vrai poète, n'oublie jamais que les plus hautes intuitions, ne se communiquent que par une révélation presque physique ; que, si lourd qu'il soit de sens profond, le poème est un échec s'il n'a qu'un faible pouvoir d'incantation.

Mais quand la grâce du chant, que le poète reçoit et propage du même geste, a su endormir l'homme à la vie soi-disant réelle, d'un seul déclic s'ouvrent les dessous du monde : les correspondances et les identités des bruits, des ombres, des couleurs et des odeurs, des bêtes, des pierres, des hommes, des plantes ; les contrées inexplorées pleines de fantômes, d'angoisses, de chambres d'amour.

Le poète doit être sensualité aussi complète que possible (« un verbe poétique accessible à tous les sens ») ; il doit être

70

joie, douleur ou désir, parce qu'à chaque instant l'être désire, jouit ou souffre; haute musique enfin, enchantement qui nous éveille à la réalité supérieure. Fargue est tout cela. Pourquoi poète complet, grand poète, n'est-il pas du rang le plus haut ? Quelles sont ses limites ?

La gloire de la poésie française depuis Rimbaud, c'est d'avoir hautement et obstinément proclamé que la poésie est essentiellement un moyen de connaissance, une méthode pour relier tout ce qui existe en faisceaux de plus en plus larges jusqu'à l'Unité totale pressentie. L'art doit donc s'humilier devant l'état de visitation poétique. Ce n'est même pas l'incantation qui est essentielle, c'est la *voyance* à quoi elle tend.

Sans doute Fargue, trop *artiste,* manque-t-il de la puissance nécessaire aux suprêmes plongées métaphysiques ? « Le génie, dit-il lui-même, est une question de muqueuses. L'art est une question de virgules. » (*Suite familière.*) Il avait les muqueuses, et les virgules. Mais justement, les muqueuses suffisent-elles au génie ? Le très grand poète c'est un peu le prophète, celui qui comme Rimbaud tente de baptiser un monde futur; celui qui crée les mythes exprimant les aspirations d'aujourd'hui et de toujours, le Prométhée qui vole le feu pour les hommes.

Fargue ne va pas aux expériences extrêmes et dangereuses de la poésie. Si par exemple Henri Michaux « entre dans une pomme », c'est en saisissant toute l'horreur de la métamorphose; mais si l'expérience tentait Fargue, ce serait pour mieux goûter, de l'intérieur, la saveur unique d'être pomme. Les monstres de Michaux sont tout brûlants de méchanceté; ceux de Fargue plus bizarres que cruels, un

71

peu empaillés comme au muséum qu'il aimait tant. Et ses terreurs gardent au sein même de l'Apocalypse, un charme à la Jules Verne.

Il ignore l'excessive tension du courant, sa rupture sous certaines foudres, les grands sauve-qui-peut de la *Saison en enfer* ou de *l'Espace du dedans*. Car il ne prend pas parti pour ou contre soi. Ni innocent révolté comme Rimbaud, ni coupable obsédé comme Michaux : enfant perdu seulement, qui voudrait rassurer sa détresse. Et aussi qui aime trop sensuellement le langage pour risquer les déserts où il meurt à force de se vider de contenu exprimable : aboli bibelot d'inanité sonore pour l'un, renoncé par l'autre à vingt ans, et peut-être demain par Michaux. (On ne saurait trop insister sur ce fait que plus la poésie est grande plus elle se suicide.)

Aussi des pages comme celles de *Vulturne* sont-elles rares, où le poète dépouillé de chair et d'esprit parvient au seuil vide où règnent « les Forces » qui rejettent au néant l'individualité humaine : « Massacre de mon harmonie, rupture de mon identité qui est aveugle, sourde, une et indivisible... Ne nommez plus ce qui ne se nomme pas. Rien... Tout ! Rien. Tranquilles. Rentrez dans l'ignorance lumineuse. »

Vide ou unité — Léon-Paul Fargue n'est pas étranger à l'intuition suprême que « sous le chaos du monde, il y a un point de l'espace et du temps où règne l'harmonie, l'accord plein, l'ordre secret ». Mais presque toujours il suspend la transfiguration du concret beaucoup plus tôt que ne font Rimbaud, Mallarmé ou Claudel. Mage plus que mystique, il entend les vibrations étranges des mondes sousjacents, les silences, les oscillations, il soupçonne les fissures qui cachent des abîmes, mais ne s'y aventure que rarement. Il ne faut pas oublier qu' « il écrit pour mettre en ordre sa sensualité », qu'il tient à garder l'équilibre entre les appels de l'inconscient et l'intelligence sensible, entre le lyrisme intime et l'amour du monde extérieur.

Certes il sait faire, de toutes choses, un seul tissu tremblant; mais les grands mythes ne s'y accrochent pas. Faute de silence, de durée dans le silence contemplatif. Fargue aime trop le concret (d'où part toute poésie) : il lui faut y revenir au plus vite, se replonger au labyrinthe des formes innombrables, c'est-à-dire en somme dans le pittoresque, si délicat soit-il. (Il aime tant s'amuser... On pourrait noter que les jeux de mots, de consonances, d'étymologie, demeurent chez lui un *jeu*, alors que chez le très grave André Breton ils sont immédiatement promus clefs secrètes du monde.)

Si, comme on peut l'espérer, la jeune poésie tente à nouveau de joindre l'esprit du surréalisme et celui de la révolution, c'est-à-dire de revenir à l'homme qui souffre et exige de changer la vie, sans pour autant renoncer à la quête de l'invisible et à ses vertiges, Fargue pourra être momentanément éclipsé.

On aura des recherches plus urgentes et plus violentes à risquer, d'où il sera exclu. Fargue le mélancolique, l'amoureux du passé, ne l'ignorait pas : « On a changé de plan... Le siècle futur parlera peut-être de nous comme de la dynastie San Houang qui régna en Chine. 2.953 ans avant Jésus-Christ. » (*Méandres.*)

C'est sur ce plan seulement que l'on peut attaquer Léon-Paul Fargue, et non comme l'a fait M. René Groos dans son *Tableau du XXᵉ siècle*, qui trouve à sa poésie « un parfum bien désuet » et juge « pénible sa conquête de l'originalité »;

ou comme M. Clouard exécutant d'un mot dans sa récente *Histoire de la littérature* cette « littérature d'almanach » ! Mais Fargue est un trop pur poète pour ne pas irriter l'anti-poésie.

Héritier de Rabelais, de Swift et de Cyrano, de Rimbaud, Lautréamont et Nerval, assurant le passage, aux côtés d'Apollinaire et d'Alfred Jarry, entre Verlaine, Jammes ou Laforgue et le surréalisme, Fargue demeure absolument original. Ni disciple, ni chef d'école, ni poète de chapelle, totalement indépendant, en prise directe avec *sa* réalité. Et il se trouve comme toujours que, personnelle, authentique, profondément fouillée, elle rejoint en l'affinant le fonds commun des vérités humaines.

Même le jour où la poésie sera faite par tous, nous aurons toujours besoin du contact de sensibilités exceptionnelles pour enrichir la nôtre.

On se fatigue aussi, parfois, d'être emporté dans la serre des grands aigles. On ne peut pas toute la journée fixer les vertiges de Rimbaud, ou se couper l'âme au tranchant d'Henri Michaux (alors qu'un croyant peut trouver sans doute inépuisable le « oui » de Claudel). C'est alors qu'on a besoin de Fargue, ni corrosif, ni subversif, mais infiniment vulnérable à la vie — la beauté au cœur, et sept plaies au côté. De Fargue, ivresse qui ne perd pas de vue les signaux, phare de sang autant que de lumière, mais qui évite les naufrages.

Il est le sorcier du verbe qui amuse (c'est un culte que tout poète devrait rendre aux *Neuf Sœurs*) et purifie par le rire; celui aussi qui endort la douleur et charme musicalement, qui emporte enfin, médium plein d'éclairs, vers les grands espaces et les temps sans horloges. Et aussi le camarade de prison qui crâne dans l'humour, l'ami plein de détresse, l'homme qui *communique* et bouleverse :

> Un soir j'avais trouvé
> Une chose pour être heureux...

Surtout, il vit et nous fait vivre en état de poésie, attentifs à ce ruissellement de sa bouche — et d'abord à ce murmure constant à son oreille : « Sensible... s'acharner à être sensible, infiniment sensible, infiniment réceptif. » (*Le Piéton de Paris.*) En un seul instant, en une seule sensation le monde entier peut se révéler avec tous ses êtres, sa matière, ses bruits, ses souffles, tandis que se lézarde le mur... L'Homme est au point d'interférence, mais il le sait mal : C'est par le poète qu'il est guidé de l'autre côté, au sein de cette unique pulsation, de ce simultané mal exploré qui ne semble pas différer de l'éternel et qui est son seul espoir de divinisation.

CLAUDINE CHONEZ.

Nous remercions ici les éditeurs de Léon-Paul Fargue, et en particulier M. Gaston Gallimard, qui nous ont aimablement autorisés à reproduire les poèmes et textes extraits des ouvrages publiés par leurs soins.

LEON-PAUL FARGUE
CHOIX DE TEXTES
(Etabli par Claudine Chonez)

En Juin 1940, dans le malheur ensoleillé d'un Paris suspendu comme un mirage et qui respirait silencieusement sa douleur, Daragnès, Galanis et Gen Paul se retrouvèrent. Ils prirent l'habitude de se réunir le Samedi soir, vers cinq heures, aux Deux Magots, qui dormaient encore la bouche ouverte. L'esplanade de Saint Germain des Prés avait l'air d'un port abandonné. Mais, dès le mois de Juillet, leurs amis, leurs camarades et leurs amateurs se joignirent à eux, de plus en plus nombreux, Boussingault, Mac Orlan, Céline, Darcy, Céria, Vergé-Sarrat, Chériane, Albert Henraux, Girardin, moi-même. Nous habitions des quartiers assez éloignés les uns des autres. Nous nous y transportâmes chaque Samedi. C'est ainsi que nous nous réunîmes à Montmartre, au Lapin Agile, chez Manière, chez Pomme,

.Extrait d'un inédit

TANCRÈDE

PHASES

L'ENFANT pourra bien mourir
S'il se fatigue à courir
Parmi les objets aimés.

On écoute à la croisée
Le pauvre faire sa cour
Au silence du grand jour.

Bruit du jour, fais ta prière.
L'heure passe lente et claire
Sur la place somnolente,
Sous le ciel d'hiver tremblant.

Comme la vie fait souffrir,
Sans reproche, sans mot dire,
Pour un rien, pour le plaisir...

Tancrède : Editions Gallimard.

L'ENFANT

Voici mes plus beaux
Mes plus beaux versets.
Tremblants. Comme volent
Les oiseaux blessés.

Puissé-je parler sans cri
Comme la flamme en sursaut
Parle autant ! sans bruit
Que le coq frémit.

Puisque je semble si doux
Au danger du berger fou
Le berger tremblant veut bien
Me donner la main.

Saute sa marelle un bel
Oiseau : comme l'heure heureuse
Qui se faufile au cartel
L'heure au fébrile ramage
Court silencieuse...

DIVERS OBJETS

LE petit restaurant malingre
Tiède comme un
Baiser malsain
Je sais, je sais l'aimer
Autant que les idées.

Sur la source dormante
Où l'enfant s'est perdu
Où l'enfant s'est troublé,
Vois l'étoile distraite
S'étiole imprudente
S'étiole égarée.

C'est l'écolier chassé
Qui pleure dans les blés
Car l'oiseau qu'il désire
Ne veut pas se poser.

Le thécla vole bleu
Gauchement sur le pré
Tout ceci pour montrer
Ce qui me rend heureux
Ce qui me rend troublé.

LUDIONS

MERDRIGAL

En dédicrasse.

D ANS mon cœur en ta présence
Fleurissent des harengs saurs.
Ma santé, c'est ton absence,
Et quand tu parais, je sors.

Ludion : Editions Gallimard.

84

KIOSQUE

En vain la mer fait le voyage
Du fond de l'horizon pour baiser tes pieds sages.
    Tu les retires
                Toujours à temps.

Tu te tais, je ne dis rien,
Nous n'en pensons pas plus, peut-être.
Mais les lucioles de proche en proche
Ont tiré leur lampe de poche
Tout exprès pour faire briller
Sur tes yeux calmes cette larme
Que je fus un jour obligé de boire.
La mer est bien assez salée.

Une méduse blonde et bleue
Qui veut s'instruire en s'attristant
Traverse les étages bondés de la mer,
Nette et claire comme un ascenseur,
Et décoiffe sa lampe à fleur d'eau
Pour te voir feindre sur le sable
Avec ton ombrelle, en pleurant,
Les trois cas d'égalité des triangles.

POÈMES

Un seul être vous manque
Et tout est dépeuplé...

...**D**EPUIS, il y a toujours, suspendu dans mon front et qui me fait mal,

Délavé, raidi de salpêtre et sûri, comme une toile d'araignée qui pend dans une cave,

Un voile de larmes toujours prêt à tomber sur mes yeux.

Je n'ose plus remuer la joue; le plus petit mouvement réflexe, le moindre tic

S'achève en larmes.

Si j'oublie un instant ma douleur,

Tout à coup, au milieu d'une avenue, dans le souffle des arbres,

Dans la masse des rues, dans l'angoisse des gares,

Au bras d'un vieil ami qui parle avec douceur.

Ou dans une plainte lointaine,

A l'appel d'un sifflet qui répand du froid sous des hangars,

Ou dans une odeur de cuisine, un soir

Qui rappelle un silence d'autrefois à table...

Amenée par la moindre chose

Ou touchée comme d'un coup sec du doigt de Dieu sur ma cendre,

Elle ressuscite ! Et dégaine ! Et me transperce du
coup mortel sorti de l'invisible bataille,
　　Aussi fort que la catastrophe crève le tunnel !
　　Aussi lourd que la lame de fond se pétrit d'une mer
étale,
　　Aussi haut que le volcan lance son cœur dans les
étoiles

　　Je t'aurai donc laissé partir sans rien te rendre
　　De tout ce que tu m'avais mis de toi dans le cœur !
　　Et je t'avais lassé de moi, et tu m'as quitté,
　　Et il a fallu cette nuit d'été pour que je comprenne...
　　Pitié ! Moi qui voulais... Je n'ai pas su... Pardon, à
genoux, pardon !
　　Que je m'écroule enfin, pauvre ossuaire qui s'éboule,
oh pauvre sac d'outils dont la vie se débarrasse, d'un
coup d'épaule, dans un coin...

　　Ah je vous vois, mes aimés. Mon père, je te vois. Je te
verrai toujours étendu sur ton lit,
　　Juste et pur devant le Maître, comme au temps de ta
jeunesse,
　　Sage comme la barque amarrée dans le port, voiles
carguées, fanaux éteints,
　　Avec ton sourire mystérieux, contraint, à jamais fixé,
fier de ton secret, relevé de tout labeur,
　　En proie à toutes les mains de lumières droites et
durcies dans le plein jour,
　　Grisé par l'odeur de martyr des cierges,

Avec les fleurs qu'on avait coupées pour toi sur la terrasse;

Tandis qu'une chanson de pauvre pleurait par-dessus le toit des ateliers dans une cour,

Que le bruit des pas pressés se heurtait et se trompait de toutes parts,

Et que les tambours de la Mort ouvraient et fermaient les portes !

. . . .

(Æternæ Memoriæ Patris.)

Poèmes : Editions Gallimard.

MAUVAIS cœur... souffle une voix nocturne à l'enfant que j'ai battu jadis, dans un jardin d'automne tout encagé d'or. Ce fut un jour étrange, en vérité. Le soleil donnait sa langueur à tout. Des conseils d'amour et de mort parlaient par les bruits les plus vagues. On avait envie d'embrasser les beaux enfants qui jouaient dans les parcs, auprès des jolies mères, ou de les frapper...

Nous courions sous des arbres très hauts, bien pris dans la lumière, et qui secouaient parfois leurs chaînes de songes, de toute leur taille, à grands bras tristes.

...Le vent remuait ses plis lourds pour aller tourner plus tard. ailleurs une ronde sableuse en forme de crosse, avec un bruit fin et qui se calme... Un parti de folioles traînait s'enfuir sur les paumes tièdes de l'air si dense qu'on eût cru le voir... De l'autre côté de la scène, fermé d'une porte épaisse et sombre, une rue pleurait sa chanson mate. Une balançoire qu'on venait de quitter glissait la plainte d'une bête qu'on tourmente...

Il n'y avait personne à côté de nos voix, je crois. Le cher enfant. Je le vois encore avec une fixité exquise et terrible, assis sur un banc de pierre, songeur et penché, dans son petit costume marin au béret et à l'ancre d'or, et tel qu'au jour d'angoisse où je frappais sa bonne figure...

Je le cherche. Et je pense à lui dans les fêtes qui fermentent, et dans les foules curieuses, et dans les rues grasses, plus longues au loin des baies des lumières, où des ombres rêvent sur les flaques, jambes ployées et jointes, sous le poids d'un souvenir qui leur saute aux épaules comme un mauvais singe... Il est des pensées qu'on sent qui se cachent derrière toutes les autres. Et il n'en arrive de nouvelles que pour elles, qui bouchent par instants les clairières jaunes où la Mort est lasse de montrer sa figure trouée comme un liège...

L'Enfant dérange la nuit chaude... Les yeux de l'orage éclairent sa forme. Il saute sur la grille d'un arbre. Il accourt dans l'odeur d'une avenue plantée d'ailantes où des phalènes battent comme des paupières... Les soirs où je prends ma part d'une fête, j'ai envie de m'enfuir quand j'y pense, de courir dans un quartier pauvre, et d'y souffrir dans un coin sombre... Et il m'arrive de rêver que je le retrouve, homme enfin, noir et bête, abrupt, inodore et cruel — et qu'il est beau, et fort, et riche, dans un endroit de plaisir, avec une cravate indicible, et que mon pauvre vieux remords ne lui arrive pas à l'épaule...

(Poèmes.)

. . . .

E T j'ai la douleur, par toi que j'aime...

Tout un paysage s'enfle de très loin, comme au bout d'un tunnel, et s'exprime par ta voix profonde... A Stains, devant une barrière que je vois si bien, comme elle était, contre un jardin triste, et que je perds bien dans l'ensemble, avec un sang-froid détestable, tu me parlais de nous-mêmes. Et ce paysage où nous étions en suggérait d'autres, francs ou de limbes, riches en lumières mouvantes où souffrent les hommes, et dont on ne sait si elles sont proches ou lointaines...

La nuit vint. Dans la gare silencieuse et vide, une sonnerie sursauta d'un timbre qu'on sentait bien touché de très loin et comme à tâtons, comme par un fantôme... Une pause avec le passage d'un express, au large... Il tourne la page, tisonne sur la courbe et meurt...

Plus tard, nous étions dans un petit café où tu te penchais sur moi, comme ça, pour me dire quelque chose qui fût très près de nous... Je vois encore ton geste. Et la lampe qu'on apportait du fond de la salle éclairait par degrés tes mains pâles...

(*Poèmes.*)

Les mots, les mots spéciaux qu'elle avait faits pour moi, je l'écoutais les dire à l'Autre.

J'entends sonner son sabre sur le bois du lit. J'entendrai toutes les paroles.

Quand il l'embrasse sur les yeux, là, tout au bord de l'île où s'allume une lampe, il sent ses paupières battre sous sa bouche comme la tête d'un oiseau qu'on a pris et qui a peur...

Il s'attarde au réseau des vaisseaux délicats comme l'ombre légère d'une plante marine...

Il caresse de tout son corps les seins qu'envenime l'amour...

J'entendrai tout, dans ce couloir aux minces cloisons, tout blanc de fenêtres, avec cette odeur fade et sucrée de la boiserie que le soleil chauffe...

Quelquefois j'attendais longtemps devant sa porte et dans un décor si connu qu'il m'écœurait. J'y frappais. J'entendais le vide bailler derrière. On marchait bien vite à côté, comme pour venir ouvrir...

Une heure se plaignait quelque part. Le soir tombait par les baies vitrées, sur les marches...

Et puis les houles du vent d'automne, des frissons d'arbres sur les remparts, l'odeur de la pluie dans les douves, et bien des chansons de Paris passèrent sur elle...

(*Poèmes.*)

L A rampe s'allume. Un clavier s'éclaire au bord des vagues. Les noctiluques font la chaîne. On entend bouillir et filtrer le lent bruissement des bêtes du sable...

Une barque chargée arrive dans l'ombre où les chapes vitrées des méduses montent obliquement et affleurent comme les premiers rêves de la nuit chaude...

De singuliers passants surgissent comme des vagues de fond, presque sur place, avec une douceur obscure. Des formes lentes s'arrachent du sol et déplacent de l'air, comme des plantes aux larges palmes. Les fantômes d'une heure de faiblesse défilent sur cette berge où viennent finir la musique et la pensée qui arrivent du fond des âges. Devant la villa, dans le jardin noir autrefois si clair, un pas bien connu réveille les roses mortes...

Un vieil espoir, qui ne veut pas cesser de se débattre à la lumière... Des souvenirs, tels qu'on n'eût pas osé les arracher à leurs retraites, nous hèlent d'une voix pénétrante... Ils font de grands signes. Ils crient, comme ces oiseaux doux et blancs aux grêles pieds d'or qui fuyaient l'écume un jour que nous passions sur la grève. Ils crient les longs remords. Ils crient la longue odeur saline et brûlée jusqu'à la courbe...

Le vent s'élève. La mer clame et flambe noir, et mêle ses routes. Le phare qui tourne à pleins poings son verre de sang dans les étoiles traverse un bras de mer pour toucher ma tête et la vitre. Et je souffre contre l'auberge isolée au bord d'un champ sombre...

(*Poèmes.*)

POUR LA MUSIQUE

AU PAYS

Un nom : Cromac, nous fait parler
D'un golf sombre... O mort d'amour,
Sois moins triste d'avoir pleuré
Pour d'autres noms, pour d'autres jours

Où tu étais comme l'aveugle,
Qui regarde du rouge sombre
Et joue avec ses mains grattées
Sur le vieux banc de son enfance...

Comme l'aveugle lorsqu'il songe
Et bougonne, et que son cœur gronde
Contre la beauté au corps tiède
Qui le regarde, toute en larmes...

Cromac. La Maison sous les branches,
Dont la fenêtre aux yeux en fleurs
Ecartait ses longues mains blanches,
Doucement, sans bruit, sur ton cœur...

Pour la Musique : Editions Gallimard

98

AUBES

Q ue l'aube apporte le vent neuf
Et qu'elle joue aux quatre coins
Avec nostalgie dans les villes
Aux carrefours ornés de glaces
Qui attirent de vieux regards
Subtils du fond des lointains graves...

Que les rats qui roulent sans bruit
D'un arbre à l'autre, hors de leurs grilles,
Au ruisseau que l'heure pâlit
Traversent ton ombre grandie
Lorsque les choses vous regardent
Aussi vite qu'on les regarde...

Que s'ouvrent au tremblement mauve
Les corolles des boucheries
Où s'égoutte du sang qui dort
Et que le ciel monte à coups sourds
Du bout du fleuve au timbre obscur
Où un remorqueur meugle et fume
D'un nasal noir contre le jour...

Que le mitron ferme le four
Où brasillent les vieilles cendres
Et qu'une femme vigilante
Aux yeux de mère et de servante

Sous une porte où le vent s'enfle
Souffle ses fumerons qui chantent
Et verse le Noir aux mains lentes...

Que l'aube emmêle le vent rêche
Dans l'arbre où se peigne la lune
Et qu'elle réveille la mare
Couverte d'un duvet de prune
Où d'étranges insectes tremblent
Sensibles comme des balances
Sur un vieux nuage qui dort...

Il suffit — pour que tu te chantes
Une chanson basse, égarée,
Où il est question de femmes,
De bleus retours à des campagnes,
De promesses et de poèmes,
— Et que ton cœur se fonce et pleure
De pleurer sur d'anciennes larmes.

Léon-Paul Fargue et Madame André Beucler (Photo Georgette Chadourne).

Page précédente : Léon-Paul Fargue en 1946 (Photo D. Masclet).

ESPACES

. . . .

L'HOMME interdit par la nuit,
Bluté par une peur vague
Au bord du van de l'orage
S'accroche comme une épave
Dans le lit de la pierraille
Réfléchit avec ses cornes
Et regagne son fournil.
L'ombre qui l'entend monter,
Le drap vite recouché,
Se hâtent de se plier
Et préparent leurs grimaces.
Quel pédicure néfaste
Porte une main sans scrupules
Le long des orteils carrés
De la sonore momie ?
Mais du cendrier des rues
Par la trappe des marelles
Où les morts jouent au jonchet.
Pour tromper les nuits de garde
S'ils ne sont pas de sortie,
A peu près à la même heure
Que la barque de la lune
Monte avec un bruit de franges
De verre autour de sa lampe
Où confit de l'angélique,
Douce enflure d'Orphélie

Longue comme le chagrin,
Ronde comme la famille,
Cette fleur de Nézondet.
C'est le nom d'un gâteau triste,
Spécialité d'artiste,
Que ma mère me donnait.
C'est le nom d'un souvenir
Que mon rêve regardait...

(*Epaisseurs.*)

Espaces : Editions Gallimard

LA DROGUE

. . . .

IL me souvenait de certaines périodes ardentes et dissimulées de mon enfance, pleines de rumeurs, de rayons humides et de larmes de plaisir, d'états de colère ou de silence, où le médecin de mes parents discernait de légers troubles, imputables, disait-il, à mon activité précoce, excédée d'impressions vives, que je n'avais garde de trahir, et qui me criblaient de baisers amers, de la part de quelque merveille implacable comme un coquillage dans une vitrine, l'atlas d'un dictionnaire d'histoire naturelle, un navire en miniature au musée de la marine, ou quelques jouets absurdement riches et que je ne pouvais posséder. Je n'ai jamais éprouvé plus dur le sentiment de l'impossible, sinon sur certaines montées de la fièvre où je travaillais comme une machine à faire entrer une masse indéterminée, mais considérable, dans un orifice imperceptible, comme une cathédrale dans le chas d'une aiguille; à moins que, sur les chevaux de bois, l'ordre ne nous parvînt de nous suicider tous avec notre lance, sous peine de mort, avant l'arrêt complet du manège, qui commençait à ralentir, sous les yeux de ma mère, qui luttait pour me joindre avec une longue bête, se déformait comme un nuage, et ne pouvait plus me sauver.

Cependant, la vie devenait intolérable.

. . . .

U N jour, l'esprit divin nous assaille. Il en a assez
d'échapper contre sa matière. C'est nous qui sommes la matière, cet esprit qui s'est induré. Il est fatigué
de sentir dans sa flamme ces lourdes mouches incom-
bustibles ; il est démangé de sentir dans son ventre, au
fil le plus fin de son sang, ces bulles salines, ces calculs,
ces échardes sales, ces pailles avares, ces réserves tristes,
ces sinus fougueux, cette question remuante, insupporta-
ble, que nous sommes. Alors il nous lance une bouée, il
nous passe une drogue, il nous empoisonne, il nous rumine, et il nous digère. Résorption catalytique, précipité
spirituel, dissociation chimique foudroyante, tout ce que
vous voudrez... Sur quelque point que nous passions, sur
quelque chaussée de l'espace et dans quelques métamorphoses, à travers les siècles des siècles, nous aurons
l'honneur de faire des échanges avec cet Esprit inconce-
vable. Parfois, il rapetisse le monde, pendant un temps
incalculable. Il supprime un moment le temps, l'espace
et la matière, jusqu'à nous rendre tous invisibles. Mais
quelqu'un s'en aperçoit-il ? Car le monde reste à l'échelle.
Toi, peut-être, chez qui l'adaptation ne se fait pas vite,
avec tes manies, tes lenteurs, ta plasticité particulière,
les intuitions interminables. Chh ! Que rien de raison-
neur ne vienne infecter ton flair de Dieu. Je m'accroche
parfois à ses vergues, et je me survole à sa poursuite, dans
la quatrième dimension, la radiante. Cependant, j'étais
un pauvre homme, et j'aurais voulu rester dans mon
trou, petit maître d'anthologie, subtil insecte du génie, de
l'amitié ou de l'amour. Trop tard. Je ne peux plus être

105

un artiste. Je ne peux plus me tenir tranquille. J'entends derrière moi, comme un train dans la nuit, retentir des cris qui me gagnent de vitesse. Si je veux garder ma distance, il faut que je chasse moi-même quelque chose, il faut que je piste un de ces danseurs noirs, qui font tant de mal, et qu'on prend sur le fait de n'être pas des hommes ! Je les suis, rongés par leur pensée, dissous par elle comme par un mordant, par l'indifférence ou par l'extase. Ils ne répondent plus à l'Eternel plasmagénète. Ils n'entendent plus Dieu leur dire qu'ils existent. Alors, ils doutent d'eux-mêmes et s'effondrent. Ils meurent d'une attaque de scepticisme, comme on meurt par septicémie. Sensiblement différentielle à Dieu. Mais je veux savoir comment ça se passe !

(Epaisseurs.)

MIRAGES

I L disait : qu'il n'avait pas le temps, qu'il avait sa voiture à la porte, une cuisine roulante bondée de toute sa journée, de sa nuit couveuse d'œufs sanglants, les grandes dames conquises en mangeant des plats nègres, la virée de l'enfer dans le marais salant du jour, le silence de la vieille maison encore endormie retrouvée chaque matin, le râle du concierge dans la loge, le sursaut d'un réveille-matin derrière une porte étrangère; sa chambre ouverte, la persienne où manque une latte, la vie du jardin qui commence, et le rabat du jour et les colliers d'oiseaux descendent sur son lit; les trousseaux des laitiers tintent dans l'escalier, la terre sort de son cocon, les horloges sont débordées, les cloches commencent à pondre, et la rumeur grossit jusqu'au midi de la voiture qui part pour l'action, les marchandages, les bureaux de tabac, les courses traversées de souvenirs d'enfance et de tristesse brassées en arrière.

Il parlait au milieu des amis, de quelques intermédiaires à la bouche carrée, des livres qui faisaient le gros dos. Il avait la figure bouleversée, recréée, de l'inventeur sûr de son affaire, et comme deux regards superposés... (Lui vient d'aboutir, il sait, les autres flottent). C'était un tragique battu par les comiques, à l'image de la vie. Au vrai, il avait une vie dramatique, rarement devinée, où il prenait toutes les peines du monde à sauvegarder sa confiance et sa santé, et comme il avait le cœur à vif, il s'y adonnait en maugréant, mais sans marchander, riant et pleurant, portant la tendresse où il le fallait, faisant de son mieux son métier d'homme. Cette vie de plans multiples donnait à son visage une expression des moins tranquille, mais nous avions foi dans son poème : « Ça y est. J'ai trouvé l'orgasme de l'homme à la terre. J'ai centré les fluides. Cette pierre transparente dont nous avions parlé, pleine de fumées et d'éclairs de lances, où deux cavaleries semblent prises dans la mort, je la fais vivre. (Un soir, dans un brasier, j'ai vu bouger la salamandre. Je vous l'ai dit.) J'avais mis au point le sirop de feu, l'eau frappée de la foudre et pleine de médaillons étranges, la rosée qu'on peut tailler à facettes, les circonstances où la matière n'est plus la matière. Hier j'ai trouvé les zones réservées, les in... les inchauspés, les points nerveux du trottoir, les métastases terrestres fixées, les fonds d'artichaut minéraux sensibles. A présent, je suis maître des transformations de force en matière et des réciproques... Il vivait dans cette biodynamique, on le savait assez, comme la pyrale dans les forges...

. . . .

(Epaisseurs.)

Q UAND tu vacilles au sommet du désespoir,
Lorsque les larmes sont rebelles,
Lorsque les larmes sont taries,
Monte au-dessus des hommes.
Mais qu'est-ce qu'il a à monter tout le temps, riant et
pleurant, ce monsieur rouge et noir ?
Il a du chagrin.

Voilà. Ça a eu le cœur élevé dans du coton,
Et ça souffre.
Donne un coup de pied ! Il y a le sens, il faut le cher-
cher.
Comme on cherche un ressort secret.
Quand tu l'as trouvé
Tu marches sur toutes ces têtes en proue de systéma-
tiques,
Sur tous ces yeux de basse-cour,
Tu es sauvé !

Je ne veux pas me laisser prendre ! Je ne serai pas
fait de sitôt ! Je ne suis pas encore bonard !
J'aime mieux y laisser ma peau de veston, comme un
voleur !
J'aime mieux y laisser une patte en gage, comme une
sauterelle !

Hop-là ! Sautez ! Sauvé du compartimentage, de toutes ces cellules et de toutes ces boîtes les unes dans les autres, des salles de police tainiennes, de toutes ces mouches encriphiles, des yeux captifs, des larmes d'ornière, de tous ces rayons qui pèchent par la clef, de tout cet échiquier de chair où broutent les ludions de l'amour !

Ai-je donné malgré moi le coup de pied qui chasse les hommes, ou si j'ai laissé passer l'heure ?
Une voix tonnante et silencieuse m'aspire comme un retour de flamme. Un abîme s'ouvre sous mes pas.

— Je monte !

Plus de composition possible. Les choses se composent d'elles-mêmes. D'en haut, les passants chargent mollement, la figure en l'air. Qu'est-ce qui se passe ? Est-ce que ça commence ? Est-ce pour moi ? Je vois s'enfoncer les maisons, leurs chapeaux de fer, puis ce sont les tours, puis les clochers, tous les espadons, puis les fumées... Une locomotive se fâche dans une gare, pas plus fort qu'un siphon dans un apéritif... Tout n'est plus que bulle, puis tout s'adoucit. La maladie de peau guérit à vue d'œil... Une cloche arrive comme un moustique; un fil de musique, un fil de fumée presque imperceptibles se prolongent, où protestent tous les clairons, toutes les montagnes, tous les tribuns, tous les canons dans l'étendue, tout ce qui lâche la vapeur, toutes les maisons, derniers appels, uhau sanglot roux cage tombée la pipe en feu la suit fini...

(*Vulturne.*)

. . . .

J E monte en tous sens, comme un animal silencieux qui flaire les objets de tous côtés...

— Moi, je veux voir des mondes faussés, déviés de leur route par un bolide, tantôt gratinés, tantôt larmoyants et mouchant leur rhume, congestionnés, couverts de ventouses...

— Et savoir qu'ils sont habités ? Ça m'étonnerait que tu rates celle-là !

— Moi je voudrais voir ce qui leur reste de la terre !

— Comment ! Tu es monté à l'air d'entre les asticots de ton cercueil terrestre, tu es sorti de la caverne à ciel ouvert, et tu veux reprendre la cangue ? Est-ce donc un acquis si terrible que les cinquante ans d'une vie d'homme ? Ne te dépoteras-tu jamais de la matière ?

— Il n'y a pas de matière. La matière est un mirage, une farce du temps et de l'espace, un fantôme idéographique produit sur nous par l'affolement des molécules, qui sont elles-mêmes la matière de l'atome, etc. Pas de matière. Il n'y a que la force !

— Tu crains donc que Dieu n'ait pas de quoi lire, que tu lui montes ses références ?

(*Rires scolaires.*)

...C'est nous qui sommes la matière. Nous sommes ici

plus solidaires, et nous nous touchons de plus près que tout ce qui te paraissait dur et solide sur la terre !

— Les molécules ne s'y touchaient pas. Le corps et les cœurs ne s'y touchaient pas... L'univers visible s'y composait de corps invisibles...

— Il a raison ! C'est nous qui sommes la matière. Je le vois bien, maintenant. Je sens que Dieu m'aspire comme avec une paille...

— Monter ! N'y avait-il donc pas d'autre chemin vers Lui ?

— Il nous attend au fond de son four... Il se rapproche et s'arrondit comme le jour au bout d'un tunnel...

— Quand arriverons-nous à Lui ? Dans combien de milliards de siècles ?

— Enfant ! Laisse-toi donc faire ! Puisqu'enfin tu vas tout savoir sans apprendre, désapprend donc tout ce qui ne t'a rien fait savoir ! Tu étais agi, croyant agir. Tu t'es toujours recherché, sans te trouver, et maintenant que tu vas être trouvé, tu te cramponnes encore à la recherche ! N'accroche pas dans ton équilibre, ça va y être ! Dors, chrysalide, à toute vitesse...

— A toute vitesse ! Et ne te sens-tu pas moins seul parmi les atomes et les trains d'ions et d'électrons que parmi les hommes ! Ici, tu es mêlé à tout le monde, pas plus petit que l'éléphant, pas plus gros que le microlépidoptère, pas plus secret que le minéral. Hommes et animaux, que tu as tant aimés, nous sommes tous pareils. Tissés ensemble.

— Je les aimais tels qu'ils étaient...

...Je ne parlerai plus au chat sur la fenêtre...

...Quand je pense que derrière nous il y a peut-être encore des hommes !

— Chauffe-la-couche ! Toutes ces jolies villes étaient peuplées d'hommes qui te vendaient à faux-poids. Les lits étaient garnis de requins d'eau douce. Les femmes et les animaux te trahissaient...

— La vie n'était pas bonne, mais elle était belle. Ta jeunesse. La rue. Ta chambre tout en haut. Les sons d'un piano sous un coin de toit bleu de neige. Ah ! les fonctions marchaient bien à ce moment-là. Souviens-toi des amis, des longues promenades. Souviens-toi des boulevards, souviens-toi des putains. Souviens-toi des fumées des trains éclairées en dessous par la locomotive...

...Il était un ménage. Sa vie, ses gaîtés. Son enfant. L'odeur de son intimité. La fenêtre ouverte au soleil. Ils ont été dans le vent des rues, flairé la gare et le chantier. Des amis à leur tables; heureux à l'heure du café. Leur retour du travail. L'heure de leur toilette avec leur savon aux amandes... Leurs voix dans les chambres, qui s'appellent, leurs pauvres yeux, leurs humbles gestes. Ils longeaient doucement la vie, dans la tristesse et dans la honte et dans la joie, chacun avec ses maladies, la mère affligée, le père déçu, le fils et la fille on ne sait où. Tout ça, mort !

— Il n'y a qu'une chose qui vaille la peine d'être recherchée, d'être gagnée, d'être perdue, d'être oubliée, dans cette ordure précieuse. C'est cette larme que je regrette. Je demande à recommencer. Je demande à Dieu...

....

(Vulturne.)

. . . .

R ÉNÉGAT !
— Rénégat !

— Oui vraiment ! Faiseur de manières mal dégrossi !
Toi aussi, tu aimais la vie que tu recraches !

— Oui bien, je l'aimais ! Moi aussi, j'ai été sur terre,
et j'y ai été crucifié ! Quand j'étais enfant, je croyais à
l'unique, au concret individuel, à l'absolu de chaque per-
sonnage, à la nécessité d'un geste, à la rigueur d'un œil,
à l'écrit du moindre événement, à la loi du bleu dans le
ciel, de l'avenir et du bonheur. Maintenant que j'ai tant
pâti mon bonhomme, tant bu le coquemar de plomb fondu
qu'on vous entonne de force; que la vie m'a tant giflé que
la tête m'en tournait comme la vis d'un tabouret de piano;
que les gargouilles les plus grotesques me dégoulinaient
sur la figure; que j'étais comme ce rat hagard que les
gens s'amusaient à martyriser, à scalper et à brûler, à
noyer un jour, au marché de Passy, vers midi; que le
malheur me faisait basculer comme un mannequin hors
d'usage; que les démons me jouaient à la belle, les pieds
en l'air, la tête et le cœur dans la moutarde, sous le rire
du Walpurgis; que je coulais à pic et me barbouillais sans
exemption dans des maelströms de coaltat; que je faisais
des naufrages comiques dans des forteresses de boîtes à

ordures ; que de temps à autre, le silence se faisant subitement, sur un geste austère de la lumière, je voyais quelqu'un des miens se renverser en me maudissant, juste au moment que nous allions nous comprendre, et retomber pour toujours sur son vieux lit de famille; que je courais vomir de désespoir dans les cabinets, sans avoir le temps d'y arriver, et que j'éclaboussais les murs, je sais ce que vaut la hauteur ! ! J'ai toujours cherché la hauteur ! Mais je n'arrivais pas encore ! Et je m'échappais en zigzag, changeant de trottoir, chassé par les sirènes dans les rues de l'été bourdonnantes comme un tambour, dans l'encrier des rues nocturnes, et je courais comme un crocodile, et je n'étais pas pris encore ! Mais un jour que j'étais traqué, dans l'encoignure poisseuse où toute dignité est par terre, comme une toile à laver, où il n'y a pas d'issue, où il n'y a plus une allumette à craquer, où l'homme demande grâce avec sa voix de chèvre instruite, j'ai trouvé le coup de hauteur ! Et maintenant que tu es mort, crois-tu que la montée vaut mieux ? Le coup de pied d'une certaine façon, pour atteindre le point où l'on se trouve pur, et qui me faisait grelotter d'espoir, hein, tu y viens, tu y viens trop tard, tu commences à comprendre ce que je voulais dire, un peu de travers, pour déjouer encore l'Eternel ! Ah ! si nous n'avions pas sauté, je t'affranchissais, je te choisissais pour trouver du pied dans la terre, malgré le crépi de l'homme, le tardigrade plein de bondissements, la gutta vivante, la mygale endormie, le faux minéral, le cerveau sournois qu'il faut taper pour monter purement dans l'air spirituel ! Mon frère, ma lampe nouvelle, et qui voulais rester carcel, si dans le monde où nous allons la vie s'avance encore sur toi, comme un tonneau lâché qui roule aveuglément vers un petit chat qui dort dans une cave; comme le pied carré de l'homme au-dessus d'une fourmilière : insulté, bafoué, trahi, molesté dans la douceur, applaudi pour une maladresse qu'on a supposée cruelle, volé de ton public au profit d'un rival indigne, bouffi d'insomnie, compissé par un adjudant d'infanterie, renié par ton plus vieil ami; méconnu du regard adoré, clignotant, d'une femme; épris jusqu'à la mort d'un beau corps qui t'interdit ses approches, allons monte ! ! !

Tu monteras, sans larmes, ou le diable dira pourquoi !

(*Vulturne*.)

Voix du haut-parleur

JE suis souvent descendu parmi vous. J'ai baigné vos pointes et mes montagnes, comme un nuage. Vous ne m'avez jamais deviné dans les grandes ombres qui passaient. Je trempais la race toute petite, dont la rumeur se rapprochait ! J'atterrissais sur toutes ces têtes-grandeur-naturelle, qui me regardaient sans me voir avec un sourire de raffinement qui m'a parfois désorienté. Je ne me reconnaissais plus. Je suis sorti de vous. Je suis rentré en vous. Mais vous couriez ! Et vous tapiez ! Et ces squelettes gantés de chair qui faisaient vibrer leurs instruments à cordes, à touches et à mort : tous ces engins, tous ces cerveaux, tous ces tragins, toutes ces pistoles : tout ce mat et ce larmoyant : j'étais vos mains, votre métier, vos yeux sanglants, votre endoscope, votre niche rouge ! Ah j'ai tout vu ! J'ai senti l'odeur de vos souliers, de vos maladies, de vos primeurs, de votre guerre, de votre amour...

Il vous me fallait plus près de moi. J'ai levé l'ancre.

Qui aime bien châtie bien.

C'était assez. Votre intelligence. Contraire à mon rythme. Massacre de mon harmonie, rupture de mon identité qui est aveugle, sourde, une et indivisible.

C'est par elle que l'homme se limitait à l'homme.

Incapables d'un clin d'œil sûr, et de se plaquer sur

117

mon objet sans bavardage de l'esprit, vos penseurs faisaient des prix de revient qu'ils rataient toujours.

Vos idées, vos mots n'avaient ni noyau ni sauce, ni qualité, ni substance. De petits échos, déchets sonores de la force. Des rapports épileptiques, une mathématique inconsciente. Pas autre chose.

Ils divisaient mon principe actif. Ils bassinaient mon unité métaphysique.

Au lieu de chercher de quoi et pour quoi les choses étaient faites, il fallait aimer les choses pour elles-mêmes.

Vous n'arriviez pas à l'état animal de l'intelligence.

Vous ne saviez pas communier.

Vos sentiments ? Vous aviez mal au ventre.

Assez !

De l'expérience à l'hypothèse, de l'idée à la pensée, de la pensée à la parole, de la parole à la mystique, de la mystique au cri de désir,

petits garçons, parlez encore un peu sous moi, dans l'infini rouleur aux bruits d'éclats de verre étrangement sonores...

Et puis, ne nommez plus ce qui ne se nomme pas.

Rien... Tout ! Rien. Tranquilles. Rentrez dans l'ignorance lumineuse.

(Vulturne.)

SOUS LA LAMPE

IL Y A

Trop de monde à la guerre, trop de monde dans les rues, trop de vermine sur le monde, trop de livres dans les boutiques, trop de pages dans les livres, trop de phrases dans les pages, trop de lignes dans les phrases, trop de mots dans les lignes, trop de lettres dans les mots, à l'exception d'un seul si je m'adresse à un cuistre ; il y a trop à lire dans les lignes et pas assez entre les lignes, trop de lecteurs, et qui bâfrent, et trop peu qui, sachant manger, prétendent boire, trop de bourgeois dans le lecteur et trop de lecteurs dans le bourgeois. N'éludons pas le mot bourgeois. Nous vivons dans une ville.

J'appelle bourgeois quiconque renonce à soi-même, au combat et à l'amour, pour sa sécurité.

J'appelle bourgeois quiconque met quelque chose au-dessus du sentiment. J'expliquerai cette mécanique.

Celui-là fait cloporte avec les pieds des autres.

Il ne peut respirer que l'haleine des autres.

Il n'existe que dans les autres, et par les autres.

Il souffle sa lampe, et s'éclaire au réverbère d'en face.

Il incorpore la moyenne universelle dans la substance personnelle, et réciproquement. Mais l'irradiation se fait mal, et il s'enkyste.

Ses vêtements le portent. Il ne les porte pas.

Si tu sautes en hauteur devant lui, tu le rends cardiaque.

Il n'est pas d'une méchanceté cérastoïde. Il ne ferait pas de mal à un lion.

C'est un requin sans les dents. C'est un oursin sans les épines.

Il ne s'approche d'une langue, ou d'une idée, que s'il la croit bien morte, et qu'il la voit momifiée dans une vitrine, et que ça ne peut plus mordre, et il s'en approche sur la pointe des pieds.

Il aime la nature en boîte de conserves, avec une clef pour les ouvrir, et il les rate.

Il a fait fi du patois de son cœur pour apprendre la grammaire de la caste.

Il a le sens de la caste comme un animal a le sens du danger.

C'est un aliéné du sentiment.

Ces gens-là nous traînent sans relâche à la lèche. On comble d'honneurs les pieds plats, les pieds bots, les continuateurs de Keckschaus, les continuateurs de Ronsard, les continuateurs de Conrart, les continuateurs de Law, les continuateurs de Gobseck, les continuateurs d'Onan, de Voltaire, de Banville, de Javert, de Dreyfus. Fléchier avait fondé une académie de plagiat. Si nous faisions une académie de pourliche ? Des messieurs vendeurs aux chicots soignés, le maintien sévère et la bouche mielleuse, transparent au gilet, condylome à la boutonnière, nous engagent à chausser les vieilles pantoufles de Louis XIV. Nous préférons marcher pieds nus. Nous avions les pieds préhensiles.

En art pas de hiérarchie, pas de sujets, pas de genres. L'art n'a pas besoin de luxe, de bijoux, de cabochons, de pastilles du sérail fumant dans le sang de Jean-Baptiste, comme un mégot dans un vieux pot de confitures, de promenades le long d'un fleuve avec de grands lévriers et des idées de suicide, d'héroïnes intoxiquées, de madones pharmaceutiques, de penseurs à tête de gendarme anémique, d'esthètes aux postures de lion fatigué, de villes d'art, de feublime, comme parlait Barrès, de grands particuliers comme Chateaubriand, pédicure pour reines barrées, tueur de rats musqués dans sa chambre ; Byron, coiffeur d'orages; Vigny, précurseur du vicomte de Borelli, barre de nouille peinte en acier; Lamartine, fantôme de redingote aux pellicules d'étoiles; d'Annunzio, conserve d'art, sorcier de Musée Tussaud, cierge vénéneux pour messe noire. Ces messieurs se prévalent de mots qui ont de la grandeur par eux-mêmes. Ils se surclassent du pedigree universel. Ils déclament au centre d'un panorama de saints lieux communs couronnés de feux de Bengale, d'illustres dômes chauves à perruque d'or et de bocaux pataclassiques : « Accourez, flammes de l'Esprit ! » Les grands raseurs travaillent dans l'in-folio, comme il est convenu que les architectes prix de Rome ne construisent que des bâtiments officiels et des palais nationaux.

. . . .

(*Suite Familière.*)

Sous la Lampe : Editions Gallimard

LA GARE

Gare de la douleur j'ai fait toutes tes routes.
Je ne peux plus aller, je ne peux plus partir.
J'ai traîné sous tes ciels, j'ai crié sous tes voûtes.
Je me tends vers le jour où j'en verrai sortir
Le masque sans regard qui roule à ma rencontre
Sur le crassier livide où je rampe vers lui,
Quand le convoi des jours qui brûle ses décombres
Crachera son repas d'ombres pour d'autres ombres
Dans l'étable de fer où rumine la nuit.

Ville de fiel, orgues brumeuses sous l'abside
Où les jouets divins s'entr'ouvrent pour nous voir,
Je n'entend plus gronder dans ton gouffre l'espoir
Que me soufflaient tes chœurs, que me traçaient tes
[signes,
A l'heure où les maisons s'allument pour le soir.

Ruche du miel amer où les hommes essaiment,
Port crevé de strideurs, noir de remorqueurs,
Dont la huée enfonce sa clef dans le cœur
Haïssable et hagard des ludions qui s'aiment,
Torpilleur de la chair contre les vieux mirages
Dont la salve défait et refait les visages,
Sombre école du soir où la classe rapporte
L'erreur de s'embrasser, l'erreur de se quitter,
Il y a bien longtemps que je sais écouter

Ton écluse qui souffre à deux pas de ma porte.

. . . .

Gare de ma jeunesse et de ma solitude
Que l'orage parfois saluait longuement,
J'aurai longtemps connu tes regards et tes rampes,
Tes bâillements trempés, tes cris froids, tes attentes,
J'ai suivi tes passants, j'ai doublé tes départs,
Debout contre un pilier j'en aurai pris ma part
Au moment de buter au heurtoir de l'impasse,
A l'heure qu'il faudra renverser la vapeur
Et que j'embrasserai sur sa bouche carrée
Le masque ardent et dur qui prendra mon empreinte
Dans le long cri d'adieu de tes portes fermées.

(Banalité.)

TROUVE DANS DES PAPIERS DE FAMILLE

J'AI tant rêvé, j'ai tant rêvé que je ne suis
Plus d'ici.
Ne m'interrogez pas, ne me tourmentez pas.
Ne m'accompagnez pas sur mon calvaire.

Il ne m'est pas donné de m'expliquer les ordres.
Pas même le droit d'y songer,
Il est grand temps que je me lève et que je parte.

Il a une permission de la mort, et il arrive.
Au tournant de la rue qui mène à la nuit, je l'attends.
La mer va rentrer ses dernières terrasses.
Une première lampe a soif dans les ténèbres.

Un pas sur le pavé. Son ombre le précède
Et se couche sur moi, la tête sur mon cœur.
Il est là.

Toujours son chapeau rond, toujours son sac à main,
Comme il était, le jour qu'il revint d'Italie.
Je ne vois pas ses yeux. Il ne me parle pas.

Je me roule vers lui comme une pierre obscure.
Je ne peux pas franchir son ombre.

Etes-vous bien portants ? Qu'avez-vous fait depuis ?

Pourquoi n'êtes-vous pas montés ?
Tous les jours, j'allais voir et vous n'arriviez pas !

Il ne dit rien de tout cela.
Mais tout en lui dit : Souviens-toi.

La nuit sur lui s'est refermée.

(*Banalité.*)

L'EXIL

U NE nymphe s'est retournée
Dans le sel rouge de l'automne.
Une chrysalide a brillé
Dans l'échaudé de la fumée.
Une ville ! Une ville encore,
Qui regarde à travers sa toile,
Avec ses portraits de résine,
Le fourmilier mangeur d'étoiles
Qui lutte pour la fin du miel
Avec la phalène de fer
Qui pousse son soc dans le ciel.

Le feu tinte dans la cuisine.
L'homme fait rire sa poupée.
Le phare s'étire sur l'ombre
Qui prend le large comme un pauvre.
Jadis je me suis arrêté
Vers le soir, en plein cœur d'été,
Sous une porte sans vantail
Où l'on buvait des cours profondes
Aux pas pressés, aux têtes fausses,
Des boutiques à l'air sauvage,
Des objets vénéneux et vagues
Que je tremblais de me nommer.
Un soir, je me suis arrêté
Devant la porte condamnée

Où l'on entend de la musique.
Mon cœur battait. J'avais sauté
Dans le retrait, dans le détour
Où brille un secret mal couvert
Mais au bout du couloir j'ai vu
L'ombre, assise en tailleur, attendre
Sous l'aisselle d'une araignée.

Le long du couloir encrassé
Par un ébrouement de corbeaux,
Dans une gare de ceinture,
Au coup de tambour de la porte
Rebattue et questionnée
Par l'œuf pourri de la fumée,
Sous l'œil gradué des balances
Qui reflète le cimetière
Où la marchande de journaux
Pleure son fils dans son fichu,
Le long de la douleur j'ai bu
Le souffle cave des trains pauvres
Qui dorment en changeant de mouches.
Dans la fosse pleine de graisse
Où la nuit bougonne en gouttant.
Comme eux, je roule mon calvaire,
Comme eux je gagne la chapelle
Entre des files de malades
Je fais comme les camarades.

Reviens. Sauve ton pauvre enfant
Qui pleure par tes yeux absents.
Parle-moi du fond de l'étang

Ou du faîte du ciel s'il est
Construit des restes de la terre.
Je suis petit. Tu es si grand.
C'est fait. J'adopte tes idées.
Je reconnais que ma misère
Venait des désirs que j'avais.
Tu vois, je suis calme et j'espère.
Fais-moi quitter mon corps visible.
J'escaladerai les échelles
Des épreuves et des blessures,
Je traverserai les systèmes,
Incube de tous les soleils,
Goutte de feu, goutte de boue,
Dans ma soif de te reconnaître.
Sans toi, sans ta douceur sévère,
Ma vie est le rêve d'un rêve
Hanté de fantômes trop tendres.
Dans la ville qui se rend sourde
Comme un fruit plein de perce-oreilles,
Devant le mur où je regarde,
Tableau de concours de la mort,
Dans le ramage de l'esprit
Sous le battoir de la parole,
Dans la bauge où je déshabille
L'algue et la marne de l'amour,
Dans le battement où me plonge
Le coup de canon de la mer
Que je reçois comme un message
Sur l'égarement de mon cœur,
J'ai besoin de ton injustice.
Je suis, sans toi, je suis, sans elle,

Comme un cadavre d'inconnu
Les cheveux trempés de sueur
Collés sur un front bleu de plomb
Tombé sur la terre étrangère
Au milieu d'un rassemblement
Qui ne comprend pas son visage.

(*Banalité.*)

D'APRÈS PARIS

RAPPEL

Il aime à descendre dans la ville à l'heure où le ciel se ferme à l'horizon comme une vaste phalène. Il s'enfonce au cœur de la rue comme un ouvrier dans sa tranchée. La cloche a plongé devant les fenêtres et les vitrines qui s'allument. Il semble que tous les regards du soir s'emplissent de larmes. Comme dans une opale, la lampe et le jour luttent avec douceur.

Des conseils s'écrivent tout seuls et s'étirent en lettres de lave au front des façades. Des danseurs de corde enjambent l'abîme. Un grand faucheux d'or tourne sur sa toile aux crocs d'un buisson plein de fleurs. Un acrobate grimpe et s'écroule en cascade. Des naufrageurs font signe à d'étranges navires. Les maisons s'avancent comme des proues de galères où tous les sabords s'éclairent. L'homme file entre leurs flancs d'or comme une épave dans un port.

Sombres et ruisselantes, les autos arrivent du large comme des squales à la curée du grand naufrage, aveugles aux signes fulgurants des hommes.

D'après Paris : Editions Gallimard

Léon-Paul Fargue en 1946 (Photo Jean Roland).

Lithographie par Léon-Paul Fargue.

Léon-Paul Fargue à sa table de travail, au temps du Faubourg St Martin.

Page précédente : Peinture par Marie Laurencin (1942).

SOUVENIRS D'UN FANTOME

. . . .

L<small>A</small> nuit, quand le cocher se trompait aux lumières et franchissait les cordes d'une rue barrée, la lanterne du fiacre et celle du chantier se regardaient comme une bourgeoise regarde une femme du peuple.

Le fiacre à galerie attendait le dernier train aux vitres huileuses d'une gare, dans sa houppelande gothique, avec des pilules de glace dans la barbe, et son cheval qui s'endormait en changeant doucement ses angles, comme un vieux mètre pliant...

. . . .

J'ai connu jadis un vieux fiacre qui avait passé, avec un cul-de-jatte, un contrat en bonne et due forme, suivant lequel il s'engageait à le ramener chez lui tous les soirs. L'autre s'accrochait avec les bras, qu'il avait puissants, habitués à tout faire, à l'essieu arrière de la voiture.

J'ai vu bien souvent l'étrange appareil rouler la nuit dans la rue vide, avec un bruit de tonnerre, à l'heure où je rentrais moi-même.

Il était bon de se garer.

Que de fois, fatigué, recru, courbé par le chagrin, désorienté sur le trottoir, ai-je vu mes frères les fiacres piétiner, s'arrimer en station, s'affaisser, s'assombrir...

Le fiacre est la vieille chaussure du souvenir.

*
* *

N'avons-nous pas assez de recul pour essayer de classer le fiacre ?

Mais nous voyons presque tout de suite qu'il échappe à toute classification, qu'elle vienne de Cuvier, de Linné, de Milne-Edwards ou de Quatrefages.

Il ne relève que des poètes.

La race fiacreuse tend à disparaître, complètement, comme celle de l'omnibus, détruite par les sauriens à essence. Elle ne comporte plus que quelques exemplaires cachectiques, à peine plus nombreux que ceux de la girafe, qui ne se comptent pas plus de quatre au monde, ou de l'orgue de Barbarie, dont je ne connais personnellement qu'un seul et unique survivant.

Les rares fiacres que l'on rencontre ont l'air d'insectes égarés, séparés de leur tribu, sans espoir de retour, errant à l'aventure, porteurs d'un fardeau qui se trompe lui-même et qu'ils ne savent où loger.

Ces phasmes n'ont pas su mourir dans leur saison.

*
* *

Le fiacre dut être d'abord une créature amiboïde, puis une maladie du Centaure, une sorte de cancer, une prolifération membraneuse, une Rosa-Josépha tout à fait extraordinaire.

Puis un animal autonome, quelque chose comme une chauve-souris à roulettes, une sarigue où tout serait à l'envers.

Il fut à l'hippocampe ce que l'homme fut au singe.

... Plus tard, une panoplie d'hommes et d'animaux. Des araignées géantes y vinrent parasiter, s'y adaptèrent, firent de la symbiose et s'y accouplèrent en tandem. La chauve-souris, toujours d'une grande espèce, y dérogea, devint aveugle et sourde, s'y replia sur l'arrière, et ne s'y réveilla que par les temps de pluie pour s'ouvrir doucement sur le fardeau mouillé qui s'endormait lui-même...

Des chevaux-forçats du Sabbat, condamnés par les sorcières à rouler leur boulet sur terre, renouvelèrent la race par des croisements.

L'espèce se classa, se hiérarchisa, se civilisa. Il s'y fit une élite qui porta montre et caoutchoux. L'homme sut lui donner son âme et sa paresse. Les fiacres fainéants se firent mener par des Auvergnats, traîner par des Fantômes, et même, un peu plus tard, par des Hobereaux ruinés, secs comme torchette, usés jusqu'à la corde, et qui secouaient leur attirail en galopant, avec de beaux restes...

Un soir de chaleur étouffante, où je somnolais sur une chaise, aux Champs-Elysées, contre les massifs pleins de remuements licencieux, face à la place de la Concorde, j'entrai dans un rêve.

C'était la Fin du Monde, une fin douce et monstrueuse. L'eau montait avec une indifférence inexorable.

Un fiacre géant, déjà ruisselant, s'avança vers moi, s'ébroua, buta sur ma chaise, me soufflant par le nez des fuseaux de fumée verte, encensant et chauvissant, jusqu'à ce que j'eusse vu que c'était un Centaure, et qu'il avait le visage de Monsieur Barbey d'Aurevilly.

Je crus l'entendre qui me disait, avec sa hauteur coutumière, à travers ses cils de nitre et de pluie : « Le temps est vraiment trop mauvais. J'ai envoyé mes meubles à la campagne. Je traîne après moi l'indispensable... »

Mais il cria plus fort: « Montez donc ! Montez donc ! » Ma foi, je l'enfourchai de bon cœur.

Il me promena longtemps dans la ville nocturne. L'eau commençait à nous gagner. Les quinquets pleuraient des larmes rousses. Les murs étaient lourds d'embuscades, comme à Valognes, du temps du Chevalier des Touches.

J'allais me pencher dans les poils de ses oreilles pour lui demander où il nous menait, quand il s'arrêta net, en me secouant fort, devant une immense porte flamboyante.

— Nous voici rendus, me dit-il.

Et je lus sur la porte :

ENFER.

RÊVERIE SUR L'OMNIBUS

. . . .

Tout de même, quand on monte là-dedans, on entre dans un tribunal. Le public d'en face a l'air d'un jury, les yeux fuyants, les oreilles bouchées à toute espèce d'accent sincère. Le conducteur et le contrôleur sont du genre gardien de prison. Il y a même des militaires.

Tu finiras sur l'échafaud.

. . . .

... Toutes sortes de suggestions et de faces, pour l'enfant que j'étais, plein de rêves bizarres, de bouquins de voyages et d'histoire naturelle, démangé de chimères, voué aux mystères et aux attrapes... Celle d'une de ces armatures spéciales, construites pour supporter le truquage d'un animal antédiluvien dans une féerie, bâtar de tapir et de glyptodon... Celle d'un mammouth rachitique, avorté de la trompe et des défenses, assez connu dans les Sabbats, routier de Pharsale et de Mofflaines, puis réformé comme un simple cheval, à titre de vieux serviteur, avec la concession d'un terrain géologique ; tiré de là, couvert de plaques de micachiste, par un Pygmalion paléontologue, technicien hors ligne d'ailleurs, inventeur d'une machine à parler, qui le ressuscite à des fins de maniaque, dans un laboratoire d'élevage d'automates, puis le reverse tant bien que mal dans la cavalerie du Sabbat terrestre...

. . . .

Dans les premiers temps, quand je ne fumais pas, j'allais, dès que je le pouvais, m'asseoir à l'une des deux places du fond, d'où l'on dominait la croupe des chevaux, dont l'anus s'ouvrait en grand, comme une pivoine, presque aussi souvent qu'il était raisonnable de le souhaiter, et lâchait très proprement des esquilles d'un jaune indien tout à fait somptueux, qui s'accrochaient à la ventrière, aux sangles et aux traits de cuir.

. . . .

J'aimais rester sur la plate-forme, sous l'escalier de l'impériale, bien isolé et bien à l'abri, fumant à force, tournant les pages de la rue. Que de fois j'ai su gagner cette place, de glissade en glissade...

Un jour que je m'y trouvais seul avec le conducteur que je connaissais bien, fin colonial plein de faconde, il finit de timbrer ses correspondances, tapa la claquette, calotta ses deux sonneries, ferma sa sacoche, tira sa voiture par l'oreille, accrocha la chaîne à la rambarde, et, me regardant en clignant de l'œil : « Histoire d'être un peu chez soi... », dit-il.

EN RASE-MOTTES

. . . .

J E savais bien que j'y reviendrais...
Je m'intéressais trop à cette fourmilière.
Je la voyais couler si douce.
Et maintenant que je la surplombe et que je la trouble
    comme un busard
En traînant par petits temps une patte prudente sur la
    terre,
Je ne comprends plus, je ne m'y reconnais plus.

— Qu'est-ce qui siffle au ras des pierres avec cette fi-
    nesse intolérable ?
— Est-ce donc cette fameuse bataille entre les fourmis
    noires et les fourmis jaunes ?
— Celles-ci construisent comme les castors.
— Je crois que tu t'es trompé de place.
  — Compère esprit, que vois-tu encore ?

— Le ciel est battu d'insectes grinçants. D'un aspect an-
    tique. Scarabées sacrés, cranequins, arbalètes. Il y en
    a plus autour de ma lampe qu'il n'y en avait dans ma
    chambre, au temps où je travaillais la fenêtre ouverte,
    le long des nuits chaudes...

LE PIÉTON DE PARIS

MON QUARTIER

. . . .

A LA CHAPELLE, le dimanche est véritablement le dimanche, et la métamorphose du quartier est complète. Les grandes voitures, conduites par des industriels à moustache en patte de lapin, tournent autour de l'Etoile ou quittent Paris. Les boutiques sont fermées, hormis quelques charcuteries dont les patrons songent aux dîners froids de leurs coadministrés. Par grappes, par pelotons, les familles de fleuristes, de crémiers, de cordonniers et de zingueurs défilent entre la station Jaurès et le pont du chemin de fer du Nord, large morceau de boulevard aéré qui tient lieu de promenade des Anglais, de plage et de parc de Saint-Cloud.

Le mari, déjà juteux de vermouth, sifflote au derrière de ses fils. L'épouse fidèle et solide appuie sur le trottoir son pas de villageoise. La jeune fille à marier hume les fumets de l'Engadine-Express ou du Palais-Bucarest, qui emmènent son cœur loin des frontières géographiques et sentimentales. Les cafés retentissent de poules au gibier, de compétitions au billard russe. Tous ceux qui, pour une raison ou pour une autre, n'ont pas répondu aux appels de *l'Humanité* ou de quelque autre organisation donnent à la Chapelle une couleur bourgeoise, une atmosphère de considération que l'on ne trouve pas ailleurs...

Mais c'est le soir seulement que le quartier enfile son véritable costume et prend cet aspect fantastique et sordide que certains romanciers ont su rendre chic, comme on dit, et sans risquer le voyage. Le soir, quand les rapides semblent prendre leur vitesse dans le cœur même de Paris, quand les jeunes sportifs se rassemblent devant les boutiques d'accessoires pour automobiles et se mettent à parler vélo ou plongeon, quand les matrones consentent à lâcher leur mari pour une partie de cartes entre copains et que les cinémas s'emplissent selon une cadence que l'on retrouve à la consultation gratuite des hôpitaux, alors la Chapelle est bien ce pays d'un merveilleux lugubre et prenant, ces paradis des paumés, des mômes de la cloche et des costauds qui ont l'honneur au bout de la langue et la loyauté au bout des doigts, cet Eden sombre, dense et nostalgique les soldats célèbrent le soir dans les chambrées pour venir à bout de l'ennui solitaire. C'est aussi la Chapelle nocturne que je connais le mieux et que je préfère. Elle a plus de chien, plus d'âme et plus de résonance. Les rues en sont vides et mornes, encore que le cri des trains de luxe lui envoie des vols de cigognes... La file indienne des réverbères ne remplace pas la disparition de cette accumulation de boutiques qui, de jour, rend le quartier comparable à des souks africains. L'arrondissement tout entier trempe dans l'encre. C'est l'heure des appels désespérés qui font des hommes des égaux et des poètes. Rue. de la Charbonnière, les prostituées en boutique, comme à Amsterdam, donnent à l'endroit un spectacle de jeu de cartes crasseuses. Des airs d'accordéon, minces comme des fumées de cigarettes, s'échappent des portes, et le Bal du Tourbillon commence à saigner de sa bouche dure...

Le Piéton de Paris : Editions Gallimard

143

HAUTE SOLITUDE

VISITATION PRÉHISTORIQUE

. . . .

V ERS 1912, le Jardin d'Acclimatation présentait une sorte d'exposition circulaire où l'on voyait, dans des box et dans des vitrines installées par quelqu'un qui avait le sens d'un agréable désordre, des poissons étranges qui firent bondir mon cœur d'enfant du Vieux-Monde. Poissons-faulx, poissons-hirondelles, monstres élégants des mers de Chine en forme de peignes de corne, de croissants bizarres ou d'instruments de musique, vielles en cotte de mailles, rebecs à l'œil hagard, réductions de harpes, taillées dans la cymophane...

On y voyait aussi des insectes, coléoptères et lépidoptères, à tous les stades de leur évolution, de la naissance à l'emportement, de l'œuf à la révolution contre le mur de verre. Des gardiens avaient l'œil sur les cocons, comme s'il se fût agi des bijoux inconsistants et flasques de la Préhistoire. J'assistais tous les jours au spectacle de leurs métamorphoses. Un scarabée sortait tout charbonneux de son entonnoir organique, se dévidait dans l'air et se cannelait de couleurs dorées. Des papillons de nuit, l'Acherontia atropos, le Sphinx tête de mort, se déshabillaient, se dégainaient, comme d'une combinaison, de leur chrysalide en gilet d'acajou, tout fripés, tout mouillés encore. Moi, j'avais le temps... Une voix à peine perceptible m'avertissait que je me trouvais en présence

146

d'un mystère dont aucun raffinement n'avait entamé la pureté depuis cent et cent siècles. Je m'arrêtais longuement pour voir les papillons se tendre peu à peu sur les baleines de leurs nervures, comme de petits éventails de velours, et sécher au soleil. Enfin, je mangeais des yeux la mouche Tsé-Tsé, sombre comme un grain de sommeil, enfermée prudemment dans un petit flacon de cristal...

Si je m'attarde à cette exposition, c'est qu'elle a été pour moi un tout petit documentaire de la grande liberté des peuples rampants ou volants dans les premiers moments du globe. On a créé depuis pour en étendre la conquête et donner asile aux nombreux émigrants des terres soumises à l'homme, aux chenilles, aux abeilles, aux sauterelles, on a créé le « Vivarium ». C'est là qu'arpentent le sol de leur maigre prison des files de scarabées géants, noirs comme des catafalques. Ils étendent une longue patte barbelée, véritable harpon, pour chatouiller le nez des grosses araignées-mygales, qui, pareilles à des toupies, s'ébrouent dans leur rousseur. Tout ce monde est mêlé : compsognathes en réduction, lucanes enjambant des nœuds de lézards, omelettes de centrotes hérissés d'épingles à chapeau.

Dans un box couleur d'angélique, on aperçoit de petits arbustes où, sournoisement accrochés et collés, les phyllies feuille-sèche et les phasmes, bâtons du diable, imitent les branches et les feuilles si étroitement qu'ils font peur. Plus loin, dans l'appartement des serpents, l'elaps corail a l'air d'un épis de maïs méchant. Le vivarium est une cassette de passions obscures et brillantes...

Je m'y retrouve très ancien. J'y devine les sentiments de guerre, d'étonnement et de joie de l'homme primitif.

J'y remonte aux plaisirs, aux enthousiasmes d'une époque sans mémoire où les enfants n'étaient pas des enfants, mais de jeunes monstres qui n'avaient pour être heureux que des merveilles naturelles.

... Quel squelette repose, dans la profondeur, sous cette statue ? De quelle poudre millénaire s'enivrent les racines de ce platane ? Quelle plage s'étirait, robuste et nue, à la place de cette cage de tramways où les bourgeoises de banlieue s'entassent aujourd'hui, le pantalon collé aux fesses et les aisselles noires d'insectes neufs inventés par le siècle de la myélite et de la machine à faire les mutton shops ? Quel trilobite à reliure mobile, fondateur de l'ordre des langoustes, inventeur des coquilles contournées, s'est compté les pattes sur ces couches de mousse que plombe aujourd'hui la longue tristesse d'une caserne ?

Je me hâte sur ces débris, bousculant des fonctionnaires à l'œil puriste, au teint de flageolet, des bourgeois bien nés qui se vautrent dans le bazar des bouquinistes afin de parfaire leur culture générale et de pouvoir ainsi résister par la tête à l'organisation des hordes prolétariennes, aux Fronts modernes qui menacent les villes fragiles, les forêts d'azalées, les piscines, les solfatares de nageurs, semblables à une charge de brontosaures, tours Eiffel horizontales, temples en mouvement, bas-reliefs sur pilotis, murs crénelés de trente tonnes, qui auraient démoli des chênes et des menhirs d'un coup de queue...

De retour chez moi, je me jetais dans les ténèbres dévoniennes, comme on se jette à l'eau. J'implorais le cauchemar carbonifère... Peu à peu, un square disparaissait sous la poussée des pentacrines, des sigillaires et des gymnospermes de la botanique fossile. Les docks du canal

Saint-Martin cédaient la place à des lagunes de grès rouge où le Dinornis à sémaphore, le géant Moa de la Nouvelle-Zélande, trottait à cent-quarante à l'heure, couvrant d'une poussière d'ocre les tatous sud-américains aux carapaces brodées, damasquinées comme des selles arabes et qui demeuraient sur place, pareils à des coupoles de camp retranché. Bas sur pattes, piano à queue terminé par une grosse tête de bouledogue, le cou bourrelé d'une bouée de sauvetage remplie de graisse, le Plésiosaure tournait autour du mammouth quaternaire, si mal rasé, si navré d'avoir à se présenter partout précédé de ses défenses énormes...

Le Stégosaure obtus, perceur de tunnels, tout hérissé de plaques de disques pour compagnies de chemins de fer et comme armé d'instruments antiaériens, sciait, mordait, usait des arbres, et les regardait tomber en crachant un rire d'avaleur de sabres sur les pensionnats de fougère en promenade. Voici le cerf aux bois construit pour avions de bombardement, le pélor-parapluie, le ceritium-tiare, le sténodactyle, pour lequel je me suis vieilli de questions... Dans ma tête à moitié sommeillante, à moitié folle de s'abandonner à ces époques où la vie était si abondante que la poussière des animaux et des insectes servait à faire de la pierre, un scorpion sableux tourbillonne...

Une pendule classique sonne l'heure du dixième arrondissement. Aucune paupière ne bouge. Le quartier dort, le quartier peut dormir. Les hommes sont morts de fatigue et d'indifférence. Quelqu'un veille, pourtant. J'aperçois sa fenêtre. De gros papillons se tuent à vouloir traverser des vitres, sur quelque ampoule, chaude comme le premier ragoût du monde, où les promesses d'arbres cuisaient avec des velléités de bacilles sans ailes et d'astérophyllites...

Quelles scènes se sont déroulées à la place où tu as ta chambre, où tu as songé sous la lampe et trempé ton front dans tes mains ? Un monstre y ronflait sous la mer...

Et dans ces rues, et sur ces places, tu passes au bras d'un ami, vos voix résonnent dans la nuit, et vous reconstruisez le monde, et le regard des astres morts ne nous arrive qu'aujourd'hui...

Mais le monde n'est pas si vieux, et il est vide. Le soleil est à huit minutes de lumière de la terre, la première étoile à quatre années, la nébuleuse d'Andromède à un million, et ces petites échardes bleues que j'aperçois à peine en sont à des milliards d'années. Le monde n'est plus ni vieux ni jeune, il se dilate. Mes amours fossiles, mes monstres crétacés qui ne sont pas encore déterrés exploseront avec le plasma. Les nébuleuses se dispersent. Plus elles sont éloignées de nous, plus elles paraissent aller vite. Ainsi nous entendons, à une hauteur plus élevée que sa hauteur réelle, le sifflet de l'Orient-Express qui passe en trombe devant nous, tandis que les étoiles meurent...

. . . .

Haute Solitude : Editions Emile Paul

150

GÉOGRAPHIE SECRÈTE

. . . .

C ETTE géographie secrète, c'est l'histoire assez heurtée de mes tragiques retours entre mon ombre et moi vers les tendresses de la maison qui n'est plus, comme vers cet hôtel aux longues jambes, aux lèvres de glaces, qui accueille les premières échappées de moi-même vers le ciel gris des draps sans sommeil et bousculés de fièvres. C'est ma tournée d'agent de police entre les réverbères, c'est le mal au cœur des maraîchers de cinq heures du matin, les camions penchés sur la viande des Halles comme des phénomènes de la jungle, c'est tout l'amour et le dégoût du piéton que je rencontre, privé d'espérance et de solidité, sur le coup de six heures, quand on commence à confondre les vagabonds et les noceurs, les étoiles et les feux de position, les hommes et les bêtes, les roues et les douleurs.

Cette géographie n'a qu'un champ d'études en profondeur : le plutonisme de Paris, l'origénie de la gare de l'Est, de la gare du Nord, de Montmartre ou de Bercy, la constitution particulière des climats de la rue Château-Landon ou du quartier des Enfants-Rouges, la coupe de la croûte terrestre qui dort comme un ivrogne au large de Montparnasse, la crasse des tunnels sexuels, les figures des snobs tristes, des grands escogriffes de Compagnies d'Assurances, des caméléons de salles d'escrime, et toute une accumulation de femmes plus ou moins bien nées, bien harnachées, avec de la graine de grue dans le cœur et des morilles dans le cerveau. Tout ce diagramme de monstres et d'hypocrisie, de cuisses basses et de cortéocènes poisseux en forme le fond.

Pour l'homme qui veut s'en donner la peine, comme pour le bon poète aux bons souliers ferrés, Paris est une cité curieuse, qui a ses plissements, ses ruptures, ses zones d'effondrement, ses nappes de charriage et son vulcanisme. Il y a des quartiers qui vous mettent des oreillers sous les genoux quand vous faites l'amour avec des femmes de rencontre ; des quartiers qui vous coulent dessus des bières chargées de sommeil et où vous vous endormez comme si vous alliez mourir. Il y a des quartiers à bretelles, des quartiers hantés de fantômes, d'ichneumons ailés grands comme des girafes, des rues qui explosent comme la larve du stegomya, des carrefours remplis de passants qui s'accrochent aux maisons comme des phasmes, des impasses encombrées d'orthoptères, de plantes juteuses où le pied crie de désespoir, d'autres qui ont sécumées par la littérature française, l'amour facile des hommes politiques et des drames de bars ; des quartiers qui sentent la viande, la reliure, le tan, le yoghourt, le labour ou les orties. D'autres enfin où des âmes pressées courent l'une après l'autre sous les semelles de la police, où l'on aperçoit des moutons et des anges, des vieilles carcasses de mendiantes aux jambes rapiécées, des corbeilles de sentiments, des membres de gosses et des trous d'enfer.

Toute cette éruption singulière, que j'ai visitée des années durant, m'est entrée dans le corps. Et comme Balzac voyait un épicier au lieu géométrique de toutes les branches commerciales, je devine un dieu carré, débonnaire, tout feuillu d'écailles et de pommes de pin, un arbre humain, une sorte de mât de cocagne, Tour Eiffel d'aiguillage qui commande aux muscles et aux spasmes de Paris.

Il reste le climat, le ciel, le rôle modérateur des cœurs propres et pieux, la température des gares et des parcs, les cyclones et les moussons qui tournoient dans la chaudière au pied bot et dont les caresses nocturnes font se raidir sous le crâne les racines de nos cheveux. Ah ! s'éveiller dans le contraire de ce pôle noir, se retrouver couché sur le bord d'une ville nouvelle et fraîche, toute brillante de poissons sans pêcheurs, d'herbes vierges et de visages à peine nés ! Que de fois, quand je cheminais parmi les eaux sauvages et les torrents des lieux où me conduisaient je ne sais quels démons abandonnés, que de fois j'ai souhaité le coup de poing de l'ardoise qui dégringole, l'automobile emballée qui prend du gauche, la fistule terrestre qui m'eût sauvé des matins gelés et sans bouche. Alors, je me serais réveillé entre les rideaux d'un soleil décapité, dans le charme tragique et silencieux des paysages d'après la mort, rouges d'espoir et calmes sous les machines du cœur.

. . . .

HOROSCOPE

. . . .

P AREIL au voyageur qui fait les cent pas dans un couloir de wagon, tandis que le train entre dans le paysage comme une varlope, mon destin chemine en moi, et
pourtant il m'est soumis. Il m'obéit. Quand il s'emballe,
je le retiens, quand il s'endort, je l'excite. Il se croit plus
fort que moi et me nargue, choisissant son moment, par
exemple cette marche qui se trouve entre le réveil et le
sommeil, et sur laquelle on trébuche toujours. C'est alors
que je l'aperçois généralement, un peu précieux, un peu
talon rouge, l'œil flou et cosmique, couleur de cervelle,
agité comme un typhon, remuant, préoccupant, sorte de
Gargantua en toile à voile, ni tout à fait rêve, ni tout à
fait menace, énorme et souple, si grand qu'il occupe
tout mon ciel, aussi lourd qu'un sommeil, aussi insai-
sissable qu'une poignée d'eau, d'une présence de cata-
racte, d'une hypocrisie d'océan.

Et le matin, lorsque je me sens un peu enfant, tout
couvert de chair de poule et grelottant d'indécision, mon
destin entre en moi comme fait une faim, une de ces
faims qui vous fracturent tout à coup le ventre, qui vous
traitent en coffre-fort. Je le vois et je ne le vois pas : il
tient du suaire et de la migraine, il a une voix qui est
peut-être la mienne et peut-être la sienne, une voix lointaine de téléphone abîmé qui me donne des conseils de

grand-mère et de voyou, et que j'écoute... Je nage en lui et il nage en moi. Poissons.

Quand je le sens qui est bien installé en moi, quand nous sommes emmêlés comme ces lutteurs à qui tout est permis et qui en profitent pour se faire rentrer le nombril dans l'oreille, quand je descends en lui et qu'il descend en moi, et qu'avec des manières rondes de sphère élastique il prend la direction de mes affaires, cette Fomalhaut commence par me faire la morale, le prenant de si haut que j'en ferais des gaffes par esprit de contradiction. Un destin, c'est de l'ouragan en bouteille, mais qui fermente dans un sternum. Un signe zodiacal, le Signe, le Vôtre, celui dont vous êtes sur terre la balle perdue, c'est une lame de fond qui vous chavire.

Le mien est titré. Il a un blason qui a la forme du poisson-coffre fortifié, à l'étonnement hirsute, hérissé de pointes comme la vierge de fer de Cologne. Il est couleur d'aquarium, plein de lui-même comme une lune de campagne, jaune au-dessus des étangs de sang. Il existe plus que moi, éternel, bien fondé, juste pour tous ceux qui lui ont été tangents, comme un bureau de recrutement. Pareils à ces hommes qui ont aperçu une fois ou dix fois, qui ont peut-être même parlé une fois ou dix fois à quelque crémière ou Bégum, à quelque chatte, à quelque cousine ou sœur, et qui se croient des droits sur elle, mon destin s'arroge des droits sur moi. Toute ma vie il faudra donc que je fasse décanter mon sang, que j'achète de l'améthyste, que j'écrive sur de l'améthyste sous les pieds des tables branlantes, que je plane dans la diaphanéité et que je marque une prédilection pour le brun ? Ainsi mes dos de livres seront alezan, mes prunelles baies, mes chaussures mordorées, mes ennemis chocolat, mes amis couleur de havane, mes maîtresses dorées, mes bonnes café au lait. Je serai le grand basané des boulevards châtains, le mec brunet au pull-over noisette qui ne se montrera qu'aux heures cendrées des quartiers bis et terreux, qui fera peur et mal aux ménesses brûlées. Et, pour finir, qui sera marron ! Toute ma vie ?

— Toute ma vie, dit le Monstre.

Mon oncle m'avait donné une pierre pour marteau-pilon, une pierre couleur de patinoire, un corindon, une jolie bague astringente et monotone qui m'a longtemps tenu lieu de camarade. Renseignements pris, ce n'était pas mon oncle. Ce bout d'alun, couleur de sperme et de laitue, nous était tombé du ciel un lundi, comme un aérolithe. On avait beau le perdre, il se retrouvait ; et quand on l'avait trouvé on le reperdait. Que de fois je me suis emporté contre cet œil, contre ce débris de rêve qu'aucune semelle n'aurait pu réduire en poudre et qui avait une odeur de laboratoire, contre cette graine de nébuleuse. Rien à faire, c'était le destin !

Toute ma vie ?

— Toute ma vie. Répond l'Hémisphère Sud.

Quand je descends à l'hôtel, je tâche de prendre le 11. Je sors de chez moi à 11 heures. Je donne onze francs aux fantômes. Je joue le onze. J'ai onze amis et onze ennemis. Je compte jusqu'à onze.

Enfin, c'est dans le onzième arrondissement, vers la onzième heure, devant le numéro 11 de la onzième rue, en commençant par la Seine, que la onzième gonze d'une rangée me murmure et me onze, me prenant pour un bonze, de sa voix de bronze :

— « Eh ! dis, le beau blonze, viens que je te fasse
l'albinonze apoplectique... »

. . . .

ACCOUDÉ

. . . .

O UI mon âme, tout cela que tu vois, c'est la vie, tout
ce que tu examines en soupirant, c'est la vie. Restons nous deux, cent ans et plus, restons les bras sur la
balustrade, le corps appuyé au bastingage, la prudence
bien affûtée, restons et résignons-nous. Ne descendons pas
dans cette mélopée, ne nous confondons pas à ce bruit
d'âmes fausses, de cœurs mangés aux vers, d'esprits vénéneux. Oui, restons ensemble, toi au milieu de moi et
moi autour de toi, toi souffrant et moi luttant. Fermons
parfois les yeux, essayons de mettre entre la rue et nous,
entre les autres et nous, des océans de lyrisme muet, des
remparts bourrelés de coton hydrophile. Revenons à pas
lents vers les souvenirs de l'école buissonnière, chucho-
tons tous deux à pas de loup des images glanées dans la
lente adolescence. Mon âme, on nous a roulés dans la
poussière des faux serments, on nous a promis non pas
seulement des récompenses auxquelles nous ne tenions
pas, mais des gentillesses, des « myosotis d'amour ». On
nous a laissé croire qu'on souriait, qu'on nous aimait,
que les mains qui se glissaient dans nos mains étaient
propres et sans épines. O glissade des déceptions et des
tortures ! Il n'y eut jamais pour nous ni justes effusions
ni paumes sincères. On voulut même nous séparer, et te

briser au fond de moi, mon âme, comme un élixir dans une coquille.

J'ai vu mentir les bouches que j'aimais ; j'ai vu se fermer, pareils à des ponts-levis, les cœurs où logeait ma confiance ; j'ai surpris des mains dans mes poches, des regards dans ma vie intérieure ; j'ai perçu des chuchotements sur des lèvres qui ne m'avaient habitué qu'aux cris de l'affection. On a formé les faisceaux derrière mon dos, on m'a déclaré la guerre, on m'a volé jusqu'à des sourires, des poignées de main, des promesses. Rien, on ne nous a rien laissé, mon âme. Nous n'avons plus que la rue sous les yeux et le cimetière sous les pieds. Nous savons qu'on plaisante notre hymen désespéré. Nous entendons qu'on arrive avec des faux de sang et de fiel pour nous couper sous les pieds la dernière herbe afin de nous mieux montrer le sentier de la fosse.

Mais nous serons forts, mon âme. Je serai le boulon et toi l'écrou, et nous pourrons, mille et mille ans encore, nous approcher des vagues; nous pourrons nous accouder à cette fenêtre de détresse. Et puis, dans le murmure de notre attente, un soir pathétique, quelque créature viendra. Nous la reconnaîtrons à sa pureté clandestine, nous la devinerons à sa fraîcheur de paroles. Elle viendra fermer nos yeux, croiser nos bras sur notre poitrine. Elle dira que notre amour, tout cet amour qu'on n'a pas vu, tout cet amour qu'on a piétiné, qu'on a meurtri, oui, que notre amour n'est plus que notre éternité.

Alors, mon âme, tandis que je serai allongé et déjà bruissant, tu iras t'accouder à la fenêtre, tu mettras tes beaux habits de sentinelle, et tu crieras, tu crieras de toutes tes forces !

On entendra
Qui est cet On ?
Qui ? demandes-tu ?
Mais toutes les âmes le savent.

ERYTHÈME DU DIABLE

. . . .

P RINCE des Invertébrés, campanile éternel et obscène, croquemort de l'Astrolabe, je le vois poindre et grimacer, ce monstre agrégé, encaustiqué, poli aux encoignures, souple comme un trapéziste ; je le vois sautiller à l'extrême pointe de la nuit, ce Maure vernissé aux douze nombrils de cuir, aux gencives damasquinées, galopant de lune en lune, tel le Corgète aux dents blanches de ces contes mi-persans, mi-macabres, que personne n'écrivit ni n'écrira.

Il s'approche de la rampe qui sépare le public mortel de la scène supranormale et salue, tandis que ses genoux fusent comme des brindilles de hêtre, et craquent sous le poids de son invisible et traditionnelle ironie. Et je puis tout mon saoul contempler face à face l'illustre coq-en-pâte en uniforme de mes cauchemars de première communion, l'intrus parfait, le réincarné formidable et rubescent, le crochu, le pendu, le folquimoldou, l'homme mygale au rire de chèvre et de serrure. Je le vois glisser sur la dure nuit et se vautrer sur le blanc des yeux des hommes endormis. Je le vois prendre possession des cerveaux clôturés et du secret des sexes, ce lampyre géant aux dents de sirène. Je le vois dodeliner, mouliguer, fornidre, fulpager et coboïndre, ce Diable épique et sournois, un peu juif, un peu mélancolique, digne et funèbre, sus-

161

ceptible, tout juteux de bondissement et de farces, croustillant et solide ermite qui nous asperge d'un rire en geyser, d'un jet d'eau de confiture esotérique, où nous nous mettons à piétiner avec nos pieds palmés et le varicocèle de nos méninges.

Le Diable, c'est le vrai Seul. C'est la Momie de gros calibre, une armoire à glace vivante que le Monde entraîne après lui depuis qu'il est monde, comme un chien trimballe, attachée à sa queue, la casserole des gosses à Poulbot. La première fois que j'entendis, tout jeune encore, ces deux vers sirotés par je ne sais quel poète du Chat-Noir :

> *J'ai mis le surplus de mon trop*
> *Dans le néanmoins de ton pire...*

j'ai compris que le Diable n'était pas loin, et qu'il allait me faire un croche-pied de troubade, une belle rosserie d'orteils dans un coin feutré du boulevard de Clichy. La chose ne se produisit que huit jours plus tard. Le Diable prit la forme de l'homme du gaz et, tandis que notre domestique s'exécutait, le démon me montra sa gibecière en peau de ministre où s'accumulaient les cendres éternelles de son Enfer portatif.

DÉJEUNERS DE SOLEIL

VOLIÈRES

. . . .

Les hiboux, chats-huants, chouettes et grands-duc sont des cathédrales de silence, des boules de neige grillée d'où partent des reflets d'ogive et qui fixent, sur l'incompréhensible horizon qu'ils ne distinguent que de nuit, des braises froides en forme de viaduc. Ces rapaces m'ont toujours attiré par leur immobilité de petites vieilles suintantes de méchanceté. Ils sont les démons des orchestres de nuit et mêlent aux bruits des feuilles, qui se déplient, des arbres qui s'étirent, un chant bref de noyé qui vous fait la peau grenue. Ils hululent. Est-il sur le clavier du mystère, un plus joli verbe de désespoir ?

Les hiboux et les chouettes se laissent apprivoiser et reconnaissent leur maître. Ils vont se draper, une fois de la maison, dans la dentelle des toiles d'araignées d'écurie. Ils se suspendent aux olives, pareils à du linge d'extoplasme, et se gavent de solitude aveugle en attendant de nettoyer les jardins. Mais qu'un intrus vienne à entrer dans ces retraites, les oiseaux aux yeux de chats boxeurs, au bec de siphon, se hérissent et se gonflent brusquement, puis retombent sur eux-mêmes, comme des lampions. Je voudrais les caresser, toucher de la main ces pelotes de fausse cruauté, gratter sur le crâne ces concierges de volcans, jusqu'à les entendre ronronner de l'horreur, soudain, sous la tendre chaleur de mes doigts prudents. Mais

A l'Hôtel Acropolis, la table de Léon-Paul Fargue.

Page suivante : Masque mortuaire de Léon-Paul Fargue (Photo Doisneau).

les nocturnes sont boudeurs. Ils bombent le torse jusqu'à l'amener à l'état de console, et rentrent leur regard de chirurgie mystique au fond de leur potiche inexplorée, qui sent le chien mort et le repaire abandonné...

Déjeuners de Soleil : Editions Gallimard

REFUGES

NOCTURNE

. . . .

LES heures de tunnels et de fossiles sortis de leurs murs que nous vivons depuis le début de Septembre 39, appellent l'homme à se replier sur lui-même. Elles l'engagent à méditer et à se montrer ingénieux autant que grave. La nature, les villes, la province, les sous-préfectures, les terrasses, les buvettes des gares, les locomotives et les rails vus à travers ce ramonage de Sabbat font battre le cœur du poète. On ne peut regarder, certes, mais on tâtonne de la prunelle, et l'imagination repère, construit, dispose. Ces ombres trouées d'acné bleue, ce sont quand même, sur notre sol, des taches de poésie à l'état pur. Car pour le poète qui chemine dans l'intestin des villes obscures, tout est demeuré vibrant de réminiscences, tout redevient clarté quand même. Et les lumières mortes se frayent un chemin au travers des truffes de la mort.

Lumières noires qui pénètrent les tissus, les huiles, les tâches, les étages, œil envahissant qui descend dans l'âme des choses, liqueurs tristes ou suaves, désobéissantes à la fantaisie de l'homme, obéissantes à sa noblesse...

Puis, au plus haut de ces mines de goudron, le poète et le trimardeur aperçoivent parfois, affichée en plein désert, toujours humide et sucrée, la lune qui sourit des drames.

Lune de buvard ou de charbon, elle est là, ce soir, au-dessus des convois tonnants et rares, parmi les fûts des arbres, sur l'échine des clochers. La voilà, seule et spacieuse, et qui regarde la nuit européenne, si semblable aux nuits antédiluviennes, et elle peut penser qu'elle fut jeune et douce. Car la nuit qui nous est imposée nous fait revivre les temps bleus et glacés d'avant le Christ, d'avant Gutenberg, d'avant Edison. Elle nous trempe dans les noires cellules de nos origines. Elle rappelle à nos troubles antérieurs qu'un jour il n'y avait rien de concevable...

Au-dessus de cette nuit militaire, pareils à des insectes de métal aveugle, les bruits de la vie surnagent. Des bruits qui n'ont lieu nulle part, et que domine soudain le ventre ouvert et sanglant de la radio...

Car cette nuit cloutée de bleu ne signifie pas que le bruit se dépose. Les nuits de 41 enflent au contraire la vie secrète et font pénétrer l'âme dans les plus fins replis d'une destinée confuse.

Si j'étais près de fermer les yeux, ce soir, la seule chose qui pourrait diluer le conflit dont se nourrit le monde, le seul événement qui me semblerait digne d'attirer les rêves de l'homme parce qu'il émet l'immensité de l'avenir, parce qu'il est assuré, lui, de survivre à tous les bombardements imaginables, c'est le miracle toujours nouveau des nuits. Et je me dis parfois que si la lumière, offensée, se refusait à revenir, que si le soleil, lésé par l'importance de son contraire, se caillait dans la bouderie, nous finirions notre malheureuse carrière d'hommes avec des nerfs de poissons des grands fonds et des yeux de chats faméliques.

Refuges : Editions Emile Paul

MÉANDRES

IMPRESSIONS SUR L'AMÉRIQUE

A SAINT-GERMAIN-DES-PRÉS, avec ses trois cafés, ses magasins sérieux, spacieux, indifférents à la rue et devant lesquels on ne fait pas la queue pour entrer, avec son kiosque bien rembourré, ses banques tristes, son square toujours dans l'ombre, ses orfèvres et son vaste atelier de photographie, qui semblent recruter leur clientèle dans le Rouergue, à Saumur, à Vitré, en Suisse ; à Saint-Germain-des-Prés, où s'opposent et se marient le raffinement intellectuel et la plus pure mélancolie du bourgeois non encore évolué, je suis la plupart du temps grisé par la simple sensation d'exister, par la certitude honnête de jouer un rôle, non pas providentiel, mais solide et actuel, qui tourne rond, dans la vraie vie de Paris. J'y ai des amis qui ne sont pas les mêmes chez Lipp, à Flore ou aux Deux-Magots, qui ne sont pas seulement l'archiviste paléographe, le romancier, l'acteur ou le président de commission, mais des artisans, des simples, des passants, le marchand de dixièmes, le bouif, le plombier. Parmi ceux que je voyais naguère encore avec plaisir sur les banquettes de ces trois cafés, de ces trois postes avancés dans la haute mer parisienne, je pourrais citer toutes les dames un peu connues vaguement indispensables au fonctionnement de la République ou de la Mondanité, tous les seigneurs de Politique ou d'Art, tous les jeunes premiers, les basses nobles et jusqu'aux lampistes de la capitale remuante. Mais parmi ceux que j'ignore, et qui, tout compte fait, finiraient par manquer à la tapisserie, si quelque arrêt d'expulsion les frappait, il y a l'intellectuel bénévole, le chiropodiste xénophobe, le jeune médecin qui ne sera jamais médecin, celui qui se dit cinéaste, celui qui se croit philosophe parce qu'il installe Spinoza sur le faux acajou de Flore, entre grues et garçons; il y a le faux Ponson du Terrail, le faux Scapin, le faux imitateur de Péguy, le sculpteur de Crijitano venu en Ile de France pour apprendre la belote, et le prophète de Balassagyarmat tombé de sa Hongrie au beau milieu du goût, de la blague, du scepticisme, et qui patauge gentiment sur les terres de Rabelais et de Renan. Il y a les petites revues, les clans, la sainte Vehme du cinéma, les *Treize* de la sociologie, les polytechniciens torturés par l'amour, des précieuses de milk-bars et ces touche-à-tout parfois élégants, un peu désargentés, qui serrent les mains au hasard, qui jugent, vaticinent, concluent, et que mon vieil ami Thibaudet admirait de pouvoir être à la fois répandus et anonymes, indispensables et inutiles. Visages somme toute sympathiques, dont la multitude et le bariolage resserraient les groupes d'amis garantis, indissolubles, en leur donnant de temps à autre, encore qu'ils n'en eussent pas besoin, l'illusion de s'évader et le sentiment que l'on avait un peu égayé les murs.

Dirai-je que j'ai vu là Picasso, Gaston Leroux, Carco, Giraudoux, des officiers de marine, le musée Guimet, toutes sortes d'académies, Aragon, Saint-Ex, Gertrude Stein, le pétrole, les affaires, le sport, Rainer Maria Rilke... je n'en finirais pas. J'y vois surtout ma vie, mes dîners hâtifs chez Lipp, où l'on attend aujourd'hui le retour du Munster et du cervelas rémoulade ; j'y vois mes articles jetés sur le papier à l'heure où l'on commençait à balayer sous les pieds des clients, mes retours de Pleyel ou de Gaveau, ces petites stations mélancoliques mais remplies que l'on fait devant une consommation avant de rentrer chez soi, l'un poussant l'autre et le repoussant jusqu'au petit jour piqué de cipaux. J'ai dans ma boîte à souvenirs des odeurs de pardessus, des passages de chiens sous les tables, des bruits de soucoupes mêlés à des chutes de ministères, des colères d'horloges, des rires de jolies femmes tombées là comme des plumes de tourterelles, des rondelles de théories qui devaient tout arranger ou tout chambarder, des poignées de main qui ne renaîtront plus, et mille sensations encore qui se confondent toutes en une sorte d'état de conscience tumultueux et doux, gonflé, murmurant, tiède et presque salutaire, qui est comme un esprit de clocher supérieur.

Et d'autres joies encore au fond de la mémoire ; la clarté particulière du carrefour Rennes Saint-Germain-des-Prés, quand le taxi vous ramenait de la jungle, du banquet ou de la cérémonie, la couleur de la pluie entre la station de métro et le tabac, les bancs du boulevard qui invitent à se libérer des poncifs, le voisinage d'Emile-Paul, quelques appartements connus, quelques chambres d'hôtel accueillantes et ces terrasses auxquelles il faut toujours revenir, ces terrasses où la politique venait voir comment se portait le théâtre, ces terrasses où l'on était toujours sûr de tomber sur un concile de camarades : les Jouvet, les Abraham, les Prévost, les Descomps, les Bost, les Beucler, les Cassou, les Fontaine, les Salacrou, les aviateurs, les juristes, les gens à huissiers et les bandes à yachts, ceux de la Bibliothèque nationale, ceux de la conférence Molé-Rocqueville, les Oberlé, les Derain, les Louis Jou, les docteurs, les journalistes, puis les résistants, les effacés, les lutteurs.

Cher Saint-Germain-des-Prés, où les ratés de l'aventure et les hurluberlus de l'Art ont la chance exceptionnelle de pouvoir siroter leur verre de chasse-brouillard entre un prince de l'esprit et un voyou de cinéma, sous le regard entendu, vaguement désespéré de quelques-unes de ces jeunes filles modernes à qui Richepin, dans sa fière jeunesse de vagabond rimeur, criait, du haut de sa barbe : « Trop tôt l'adultère ! » Rue de l'Abbaye, rue du Dragon, Hôtel Taranne, rue Saint-Benoît, librairies d'art, concierges, lingères et droguistes, marchands de couleurs de la rue Bonaparte, revendeurs, tapissiers, réparateurs de candélabres, de parapluies, de porcelaines, restaurant corse, pharmacies, sorte de potinière où l'on trouvait le temps, au plus teuton du couvre-feu, de s'emporter contre la pensée bourgeoise devant un demi de bière infecte... délicieuse parade qui va droit au cœur. C'est là que j'ai bu un dernier verre avec tant de disparus dont le souvenir pèse sur mon âme de toute la légèreté amère et fidèle des morts.

. . . .

Méandres : Editions du Milieu du Monde

EN RAMPANT AU CHEVET DE MA VIE

QUELQUE chose, plutôt un geste qu'un bruit, vient de toucher des feuilles, au fond de moi. Des feuilles que je croyais muettes, des feuilles de glaces australes au plus bas de mes souvenirs, et voilà que tout s'agite. Je faisais semblant d'être immobile dans l'abat-foin de mon lit. Mais par instants je démêle une mêlée d'efforts, un paroxysme de mouvements contrariés, une tragédie grecque en plein corps. Tantôt ce sont de sourdes actions rocheuses, et tantôt un calme de bitume. Je me sens aplafourchi, biscuité, avec une pensée qui fait cinquante kilomètres à la seconde. Mes premiers rêves furent de meubles noirs, qui s'acrinquaient dans la claustrophobie. Puis le voyage en dedans a commencé. Je n'oserais dire combien de fois j'ai parcouru mon corps depuis que je suis dans les brandes de la maladie. D'autres jours, je restais plus immobile encore que l'immobilité à laquelle je suis condamné, et je regardais les fourmis du souvenir monter à l'assaut des saints de glace que je porte à bâbord. Je suis à jamais las de la chambreloque, du papier peint, du coup de sonnette et des gonds de ma porte. Je n'ai rien accepté, rien refusé. Tant que la maladie sera là, avec son état-major et ses troupes d'occupation, je resterai à l'affût. Un jour, nous nous expliquerons.

Du moins, en société d'une étonnante forme d'enclume qui bouche le passage, au-dessus du métro Duroc, avec sa silhouette d'homme-sandwich, et du café-navire-François-

Coppée, j'aurai vu défiler tous mes amis. Si j'ai besoin de témoins, j'en aurai. Ils savent que je dînais sans orgueil *chez le Catalan,* en compagnie de camarades, aussi simplement qu'un autre jour. Nous étions en guerre clandestine, on ne craignait donc ni la guerre ni le secret. La vie se serrait autour des tables. Aux vitres du restaurant, le grand voile terne de la banalité. Il semblait qu'on se fût trouvé là pour être heureux de se voir assis derrière une palissade, pour échapper par quelques confidences à la sourdine de ces semaines feutrées. Par des voix très différentes, chacun arrivait à se mêler au doux langage des verres et des fourchettes. Celui-ci songeait à des trajets qu'il avait dû interrompre, cet autre à des traces qu'il pouvait avoir laissées. Je revois, aux murs, des tableaux sains comme de gros timbres. Nous étions entre nous, dans une enveloppe d'amitié, de confiance. Parfois, un bruit de moteur semblait écouter à la porte, et l'on regardait aussitôt sa côte de porc ou son bout de camembert comme on regarde un enfant. Les mouches signaient leur feuille de présence autour du quinquet. J'écoutais Picasso, puis je remettais le nez dans mon assiette. Puis je tendais à la fois la main et l'oreille à quelque retardataire qui nous arrivait par la cour. La soirée se développait selon les murmures, selon les bouffées de nouvelles, ou d'anecdotes. Pendant les silences on entendait au dehors le bourdonnement d'oreilles de la vie. Dans la salle, rien que des hommes discrets, des danseurs de corde raide qui s'étaient arrêtés pour souffler. On se demandait des adresses. Les mots les plus simples, les plus vides, ceux dont il semblait qu'on ne se fût jamais servi pour parler avant l'arrivée des *Alles,* comme on disait, les mots qui

177

n'avaient encore jamais troublé personne, sortaient de leur coquille, et prenaient des sonorités de dictionnaires de rimes, de mots réservés aux salamandres : le train, l'heure, le pain, l'âge, le métier... Chacun de ces mots enjambait un abîme. Des coins de France où naguère encore, on téléphonait à un aubergiste pour lui dire que l'on avait oublié chez lui ses lunettes, étaient passés de l'autre côté de l'air qu'on respirait. L'imminence du déluge, du diplodocus ou de l'évaporation de la Seine n'eût étonné personne. Le miracle avait changé d'essence : c'était une aile de poulet, un cigare, une boîte de cirage. Mais ce branle-bas réchauffait une intimité involontaire et profonde où la moindre confidence conduisait au poème. Nos impressions les plus élémentaires étaient celles que l'on éprouve dans un compartiment de chemin de fer, la nuit, quand le convoi s'est arrêté en pleine campagne, parmi les meules de silence, et que l'appel de la locomotive se répercute d'apparition en apparition jusqu'à l'horizon capitonné d'ombre. On risque un regard par la fenêtre interdite aux enfants et l'on aperçoit en avant des rails, dans une zone intermédiaire entre l'eau et l'obscurité, des buissons agenouillés, des vaches froides comme des fresques, des ormes en chemise de nuit figés dans l'attitude des somnambules, la chevelure dénouée, des fermes qui font signe aux voyageurs on ne sait par quelles granges ouvertes, par quelles échelles oubliées... Un cheval se cabre soudain parmi ses colonnes à perte de vue que Chirico sans doute aperçut sur le chemin des astres de pierre... Toutes les armées de l'herbe sont en marche... et le train, par lents efforts, se défait des ronces qui l'avaient enchaîné à cette crique lunaire...

il fronce ses mille-pattes, bande ses bretelles, ses sourcils, fait sauter les boutons de son corset, et repart en crachant de blanches insultes sur cette assemblée de dieux, de cantons et de routes. Puis les chouettes font entendre le signal de fin d'alerte.

Nous étions ainsi sous l'œil ridé du *catalan*, groupés autour de nos oiseaux de nuit, l'âme au chaud. Le restaurant était arrêté entre la Seine et le carrefour de Buci ; personne ne regardait au-delà du petit groupe où l'on avait ses genoux, sa bouteille. Picasso offrait par intervalles un paradoxe, comme on sort d'un étui une cigarette brésilienne. Un docteur me salua. Je vis passer une portion de gigot. Et pan ! l'heure du lustre qui tombe avec son orage amassé sou par sou avait sonné... J'eus le temps de me souvenir de trois lignes que j'avais écrites jadis : il y a bien longtemps qu'il n'a pleuré, je pense... jusqu'à ce qu'une main d'ombre le serre à la gorge et l'arrête au bord de sa vie béante.

. . . .

179

L^E quatrième jour je commençai à prendre des mesures pour vivre autrement que les autres. Ma mémoire eut des bonheurs et des fidélités de grand amour déçu. Je me souviens par bribes d'un texte de Chesterton que j'avais voulu utiliser jadis pour une conférence sur les rapports de l'homme et de l'histoire naturelle : « Aux premiers jours du monde, la découverte d'un phénomène était immédiatement suivie d'une interprétation poétique... Mais, pour une raison tout à fait mystérieuse, cette habitude de traduire poétiquement les faits scientifiques cessa brusquement avec les progrès de la science, et les enseignements merveilleux de Galilée et de Newton tombèrent dans des oreilles de sourds. Ces grands hommes nous ont cependant fait une peinture de l'univers à côté de laquelle l'Apocalypse avec ses pluies d'étoiles n'est qu'une pâle idylle. Ils nous ont dit que nous parcourons l'espace cramponnés à un boulet de canon ; et les poètes continuent à l'ignorer comme si ce n'était qu'une simple remarque sur la température. Ils nous ont dit qu'une force invisible nous retient dans nos fauteuils pendant que la terre s'élance comme un boomerang ; et les hommes ont toujours recours à leurs archives poudreuses pour démontrer la clémence de Dieu. » C'est dans ce fauteuil que le diable vint me chercher pour me conduire à l'intérieur de mon corps. Terrible et courtois, tel que le décrivit Henri de Régnier, il me fit faire le tour de mes muscles, et je vis mes yeux tour à tour dans le ligament rotulien, et dans le long fléchisseur des orteils. Je passai sous la voûte de mes côtes, gravées comme des bancs, de souvenirs de bicyclettes et d'idylles. Je me laissai grimper sur la rampe des vertèbres. Mon corps était plein d'arches et de hangars et je lisais le titre de mes os rangés comme des livres dans une bibliothèque. Au passage de mes idées, des lampes s'allumaient dans la veine cave supérieure ou dans l'artère humorale. J'entendis gronder le foie et je suivais parfois du regard une silhouette de sang qui m'abandonnait comme un ami. Toutes les gares du gros intestin étaient à leur poste, creusées en forme de stations de métro. Les nerfs, un à un, reprirent leurs places dans le paysage interne et je sortis de moi par la trompe d'Eustache, rassuré d'avoir vu que tous mes rouages tâchaient de contenir leur peine.

. . . .

GRANDS FONDS

. . . .

*
**

E T me voici de nouveau rappelé à l'ordre. Me voici
   remis sur pied au milieu de cette avenue froide et
dure où le promeneur finit par se perdre de vue. La douleur sans yeux, faite de harpons et d'ancres, gagne sur la
rêverie de vivre, comme la mer, les jours où galopent ses
sourcils d'écume à fleur d'eau, gagne sur les plages et
rogne sur les mémoires. Quant à moi, je suis entré tout
vivant dans l'érosion. Les pilotis que j'avais cru bâtir
sur le sable ont été bus par la sombre vivevousse, broyés
dans le pot au noir. C'est l'heure où je suis happé par un
tourbillon de hennissements et de masses. Je pense au
malheur des autres, si profond, si général, si vaste que
les journaux n'en peuvent plus rendre ni l'ampleur ni
l'atrocité, et ce malheur de tant d'êtres et de familles, ce
malheur de tant de villes et de tant d'arbres pose sur ma
paillasse de chair le sceau de l'absurdité à laquelle il est
juste que j'aspire. Du moins passent pour moi dans ces
songes d'avant les songes les pas de ceux qui font la
guerre et qui prennent, vus du dedans, des sonorités de
bienfaiteurs du monde. Je voudrais leur sourire du bord
de la rue, comme le peuvent faire tant d'autres, je voudrais jouer au coude à coude dans mes vieux quartiers
rajeunis avec ceux qui ont joué à la mort pour chasser

l'ennemi de l'aisance du verger des hommes. Je voudrais vivre ces jours qui se portent d'eux-mêmes sur l'étagère où figurent ces sortes de choses par quoi se construisent les lémoires et les mondes : l'écriture cunéiforme adoptée par les Pharaons et les rois d'Asie comme langue diplomatique ; Alexandre qui vit tout ce que l'on pouvait voir, Marc-Aurèle qui posséda toute la sagesse disponible ; la dissolution de l'empire hunique ; quoi encore ? La première bataille de Poitiers, Bagdad en tête de la civilisation, un jour, comme une ville-cycliste ; la papauté, le moyen âge, la Sorbonne ; l'œuf de Christophe Colomb et ses pluies de coquilles aujourd'hui sur l'Allemagne ; unique exemple de vrai roi sacré par une vraie sainte, Charles VII *le bien servy* liquidant la guerre de Cent ans ; les quarante siècles en admiration devant l'armée d'Egypte, les grognards, les Trois Glorieuses... Mais mon chemin est autre. Je n'ai plus conscience du règne militaire terrestre, ni des victoires du paysage classique sur le chaos. Je ressens le malheur humain dans une seule larme, et ce drame de tous, ce fardeau des âmes, cet horrible sort des foules massacrées, je l'emporte sur mon dos, je l'emporte dans ma tête, dans l'aventure qui n'en finit pas, qui n'a plus ni dates, ni héros, ni arcs de triomphe. Je vais à la rencontre d'un public invisible qui écoute de toutes ses oreilles les lamentations du monde mortel s'attacher à mes pas. Les douleurs se reconnaissent dans la nuit, comme les âmes se reconnaissent dans la musique. Qui sait ? peut-être suis-je à l'avant-garde des tourments, tout seul sur la grande plaine lustrale.

· ·

EPAISSEURS
Editions de la N.R.F.

ESPACES (Vulture, Epaisseurs)
Editions de la N.R.F.

1930
SOUS LA LAMPE (Banalité, Suite familière)
Editions de la N.R.F.

BANALITE
Illustrations par Loris et Parry.
Editions Gallimard.

1931
D'APRES PARIS
Illustrations de Boussingault.
Les amis de l'Amour de l'Art.

POEMES
Illustrations d'Alexeiff.
Editions Gallimard.

1932
D'APRES PARIS
Editions Gallimard.

1939
LE PIETON DE PARIS
Editions Gallimard, 252 p. (19 × 12).

1941
HAUTE SOLITUDE.
Editions Emile Paul, 269 p. (18,5 × 12).

1942
REFUGES
Editions Emile Paul, 306 p. (19 × 12).

FANTOME DE RILKE
Editions Emile Paul.

TROIS POEMES
Presses Daragnès, 32 p. (13 × 22).

DEJEUNERS DE SOLEIL
Editions Gallimard, 224 p. (19 × 12).

1943
TANCREDE - LUDIONS
Editions Gallimard.
Editions Gallimard. Coll. « Métamorphoses », 55 p. (19 × 14).

JEAN EFFEL
Editions de Monaco, 6 p. (32 × 24).

POEMES
Illustrations par Alexeieff.
Editions Gallimard, 162 p. (25,5 × 33).

1944
LA LANTERNE MAGIQUE
Editions Laffont, 283 p. (16,5 × 11).

1945
CONTES FANTASTIQUES
(Textes tirés de Haute Solitude)
Gravures sur cuivre de A. Villebœuf, 119 p. (31,5 × 25,5).
Galerie Charpentier.

COMPOSITE
Editions Ocia.

UNE SAISON EN ASTROLOGIE
Illustrations de Galanis.
Editions de l'Astrologie.

LE CHARME DE PARIS
Illustrations de Touchagues.
Editions Denoël.

DE LA MODE
Illustrations de Chériane.
Editions Littéraires de France.

PRESENTATION DE 1900
Dessins de Dignimont.
Editions Nationales, 32 p. (22 × 17).

1946
MEANDRES
Editions du Milieu du Monde, 270 p. (18,5 × 12).

RUE DE VILLEJUST
Editions Haumont.

POISONS
Illustrations de Burgin.
Presses Daragnès.

1947
POEMES, suivis de POUR LA MUSIQUE
Editions Gallimard, 181 p. (18 × 11,5).

PORTRAITS DE FAMILLE
Editions Janin.

LES QUAT' SAISONS
Editions de l'Astrolabe, 197 p. (19 × 12).

1948
LE PIETON DE PARIS
Illustrations de Valdo Barbey.
Editions Lefebvre.

LA FLANERIE A PARIS
Commissariat au Tourisme.

MUSIC-HALL
Illustrations de Luc-Albert Moreau, du Palais.
Editions des Bibliophiles.

1949
MAURICE RAVEL
Editions Domat.

1950
ETC...
Éditions du Milieu du Monde, 216 p. (19 × 12).

1952
LES VINGT ARRONDISSEMENTS DE PARIS
Ed. Vineta

1953
ILLUMINATIONS NOUVELLES
Textes et prétextes

DINERS DE LUNE
Ed. Gallimard

1955
RENCONTRES
Imp. de Mme Daragnès

1956
POUR LA PEINTURE
Ed. Gallimard

1957
LOUISE LALIE
Ed. Dynams

1961
D'APRES PARIS, LE PIETON DE PARIS
Club des Libraires de France

1964
AU TEMPS DE PARIS
Ed. De Tartas

POESIE (TANCREDE, LUDIONS, POEMES, POUR LA MU-
SIQUE, ESPACES, SOUS LA LAMPE. Ed. collective. Préf. de
Saint-John Perse).
Ed. Gallimard

LE PIETON DE PARIS, suivi de D'APRES PARIS
Ed. Gallimard

1966
HAUTE SOLITUDE
Ed. Gallimard

REFUGES
Ed. Gallimard

OUVRAGES ECRITS EN COLLABORATION

1945
Avec André BEUCLER : *Composite. Débats. Idées Bohémiennes. Anecdotes.* — Illustrations par D. Galanis.
Ocia, éditeur, 108 p. (25 × 20).

Avec Jean COCTEAU, Francis POULENC, Louise de VILMORIN : *La France vit.*
Plon, éditeur, 92 p. (37 × 26).

1948
Avec des textes extraits de Fénelon : LE FEU, avec 12 photographies.
Éditions Artistiques, Littéraires et Générales, 27 p.
(29 × 23).

Nous nous sommes abstenus, dans cette bibliographie, de citer les innombrables préfaces et avant-propos écrits par Léon-Paul Fargue, ainsi que les présentations d'artistes : « Vélasquez » (Editions du Dimanche), ou de richesses de musées comme les Grandes Heures du Louvre (*Editions des Deux Sirènes*), *qui ne sont guère que des introductions à des albums. Des textes tels que le* Charme de Paris, de la Mode, *ou* Présentation 1900, *etc., sont eux-mêmes très courts et de simples présentations d'un thème illustré.*

TABLE DES MATIÈRES

PRÉFACE

PRÉFACE, par Claudine Chonez 9

CHOIX DE TEXTES

Extrait d'un inédit 78

TANCRÈDE

Phases 80
L'Enfant 81
Divers objets 82

LUDIONS

Merdrigal 84
Kiosque 85

POÈMES

Un seul être vous manque... 88
Mauvais cœur... 91
Et j'ai la douleur... 93
La rampe s'allume... 95

POUR LA MUSIQUE

Au pays 98
Aubes 99

ESPACES

Gammes 102
La drogue 104
Un jour... 105
Mirages 107
Quand tu vacilles... 109
Voix dans la lentille 111
Débat dans l'azur 114
Voix du Haut-parleur 117

SOUS LA LAMPE

Il y a... 120
La Gare 123
Trouvé dans des papiers de famille 125
L'Exil 127

D'APRÈS PARIS

Rappel 132
Souvenirs d'un fantôme 133
En rase-mottes 139

LE PIÉTON DE PARIS

Mon Quartier 142

HAUTE SOLITUDE

Visitation préhistorique 146

Géographie secrète 151
Horoscope 154
Accoudé 158
Erythème du Diable 161

DÉJEUNERS DE SOLEIL

Volières 164

REFUGES

Nocturne 168

MÉANDRES

Impressions sur l'Amérique 172
En rampant au chevet de ma vie 176
Le quatrième jour 180
Grands fonds 182

BIBLIOGRAPHIE

Bibliographie 186

TABLE DES ILLUSTRATIONS

Couverture, dessin de Dunoyer de Segonzac.

Dessin inédit, de L.-P. Fargue 8

L.-P. Fargue à huit ans .... 36[1]

L.-P. Fargue à Saint-Tropez .... 36[2]

L.-P. Fargue en 1907 .... 68[1]

L.-P. Fargue en 1913 .... 68[2]

L.-P. Fargue, Yehl, Valéry Larbaud, le maire de Fronton 68[3]

L.-P. Fargue en famille .... 68[4]

L.-P. Fargue, le Prince de Bassiano, Paul Valéry ...... 100[1]

L.-P. Fargue, peinture de Charles Camoin, 1929 .... 100[2]

Peinture, par Marie Laurencin .... 100[3]

L.-P. Fargue à sa table de travail .... 100[4]

L.-P. Fargue en 1946 .... 132[1]

L.-P. Fargue et Mme André Beucler .... 132[2]

L.-P. Fargue en 1946 .... 132[3]

Lithographie, par L.-P. Fargue .... 132[4]

La table de L.-P. Fargue .... 164[1]

Masque mortuaire de L.-P. Fargue .... 164[2]

Imprimé en France par OFFSET-AUBIN, Poitiers.
D.L., 2-1966. éditeur n° 793, imprimeur n° 1.400.